进 阶 式 对 外 汉 语 系 列 教 材
A SERIES OF PROGRESSIVE CHINESE TEXTBOOKS FOR FOREIGNERS

成功之路

ROAD TO SUCCESS

2

顺利篇
ELEMENTARY

主　编　邱　军

副 主 编　彭志平

执行主编　张　辉

编　著　张　莉

ROAD TO SUCCESS
A SERIES OF PROGRESSIVE CHINESE TEXTBOOKS FOR FOREIGNERS

北京语言大学出版社
BEIJING LANGUAGE AND CULTURE
UNIVERSITY PRESS

图书在版编目（CIP）数据

成功之路. 顺利篇. 第2册/张莉等编著.
–北京：北京语言大学出版社，2008.9（2017.7重印）
ISBN 978-7-5619-2190-6

Ⅰ. 成… Ⅱ. 张… Ⅲ. 汉语–对外汉语教学–教材
Ⅳ. H195.4

中国版本图书馆CIP数据核字（2008）第150298号

书　　　名：	成功之路·顺利篇（第二册）
责任印制：	汪学发

出版发行：北京语言大学出版社

社　　　址：北京市海淀区学院路15号　邮政编码:100083
网　　　址：www.blcup.com
电　　　话：发行部 010-82303650/3591/3648
　　　　　　编辑部 010-82303647/3592
　　　　　　读者服务部 010-82303653
　　　　　　网上订购电话 010-82303908
　　　　　　客户服务信箱 service@blcup.com
印　　　刷：北京画中画印刷有限公司
经　　　销：全国新华书店

版　　　次：2008年9月第1版　2017年7月第14次印刷
开　　　本：889毫米×1194毫米　1/16
印　　　张：课本12/听力文本及练习答案1.5/练习活页3.25
字　　　数：233千字
书　　　号：ISBN 978-7-5619-2190-6/H.08179
定　　　价：68.00元

第四单元　社会交往
Unit Four　Social Communication

语言点：Language Points：

1. 动态助词"着3"：表示动作的伴随

   The dynamic particle "着3": indicating the accompanying state of the action

2. 越……越…… the more ... the more ...

第六单元　娱乐 文化
Unit Six　Entertainment and Culture

21

课文（一）　把啤酒倒满，干杯

课文（二）　我已经把东西都买来了

语言点：Language Points：

1. "把"字句3：把+O+V+结果补语

   The 把-sentence 3: 把+O+V+Resultative Complement

2. "把"字句4：把+O+V+趋向补语

   The 把-sentence 4: 把+O+V+Directional Complement

3. "把"字句5：把+O+V+其他成分

   The 把-sentence 5: 把+O+V+Other Elements

22

课文（一）　听不懂没关系

课文（二）　花不了太多钱

语言点：Language Points：

1. 可能补语　The probable complement

2. V+得/不+了　The structure "V+得/不+了"

第四单元　社会交往
Unit Four　Social Communication

13 快请进来吧
Please come in quickly

（一）快请进来吧

今天是我的生日……

看图思考 Look and think

- 麦克已经收到什么生日礼物了？
- 大卫他们打算怎么给麦克过生日？
- 你过生日的时候，朋友们常常送你什么礼物？

马丁和大卫住在留学生宿舍楼8层，麦克住在6层。一天晚上，马丁和大卫想找麦克聊天儿……

Martin and David live at the eighth floor of the dormitory building for foreign students and Michael lives at the sixth floor. One evening, Martin and David wanted to chat with Michael...

麦克 马丁、大卫，快请进来吧！

马丁 多漂亮的花儿啊！还有生日蛋糕和生日卡！谁过生日啊？

麦克 今天是我的生日，这是我哥哥的一个中国朋友送来的。

大卫 是吗？你怎么不告诉我们？真不好意思，没给你准备生日礼物。

麦克 没关系，大家都很忙，我不想打扰你们。

大卫　这是你第一次在中国过生日吧？不能太随便，咱们叫几个同学过来，过得热闹点儿。

马丁　现在楼下的小卖部还没有关门，我下去买一些水果和饮料。

大卫　水果不用买了，我朋友下午给我送来了很多水果，我上去拿一些。

马丁　你下来的时候，别忘了叫一下山本。

麦克　我也出去买点儿吃的吧。

马丁　你别出去了，在宿舍里收拾一下吧。我们一会儿就回来！

生词　New Words

①	花儿	（名）	huār	flower
②	蛋糕	（名）	dàngāo	cake
③	卡	（名）	kǎ	card
④	打扰	（动）	dǎrǎo	to disturb, to trouble
⑤	过	（动）	guò	to celebrate (birthday, holiday, etc.)
⑥	随便	（形）	suíbiàn	casual, informal
⑦	热闹	（形）	rènao	lively, buzzing with excitement, (of a scene) bustling with activity
⑧	水果	（名）	shuǐguǒ	fruit
⑨	饮料	（名）	yǐnliào	beverage, drink
⑩	拿	（动）	ná	to hold, to take
⑪	忘	（动）	wàng	to forget
⑫	收拾	（动）	shōushi	to put in order, to tidy, to clear away

回答问题　Answer the questions

1. 今天是谁的生日？
2. 麦克哥哥的朋友给麦克送来了什么礼物？
3. 麦克为什么不告诉大家今天是他的生日？
4. 马丁和大卫为什么要给麦克过生日？
5. 马丁要去楼下的小卖部买什么？
6. 大卫为什么不让马丁买水果？
7. 麦克出去买东西了吗？他要做什么？

语言点注释　Notes on Language Points

简单趋向补语 1：V+来/去
Simple directional complement 1: V+来/去

你下来的时候，别忘了叫一下山本。
我下去买一些水果和饮料。

讲解 Explanations

　　动词"来"和"去"可以用在一些动词的后边，表示动作的趋向，构成简单趋向补语。其中"来"表示动作是朝着说话人或所谈事物的方向进行的，"去"表示动作是背着说话人或所谈事物的方向进行的。用图可以表示为：

The verbs "来" and "去" can be used after some verbs to indicate the direction of the verbs and form the simple directional complement. "来" indicates motion towards the speaker or the thing talked about, and "去" indicates motion away from the speaker or the thing talked about. They can be explained with the following diagram:

　　汉语中简单趋向补语"来"和"去"的构成形式有：

The formation of the simple directional complements "来" and "去" in Chineses is as follows:

V	+	来
上		来
下		来
进		来
出		来
过		来
回		来
起		来

V	+	去
上		去
下		去
进		去
出		去
过		去
回		去
起		

除了上述趋向动词外，有些动词后面也可以加"来"或者"去"表示动作的方向。例如：

Besides the above-mentioned directional verbs, some other verbs can also be followed by "来" or "去" to indicate the directions of the actions. For example:

① 他给我送来一张生日卡。
② 你给他带去一些水果吧。

练习 Practice

用"V+来/去"完成句子：

Complete the sentences with "V+来/去":

(1) 外面太冷了，咱们_____吧。

(2) 他去旅行了，下星期_____。

(3) 山上一定很漂亮，咱们快_____吧。

(4) 哎，山上的风景美极了，你们快点儿_____啊！

(5) 我家太远了，你别_____了，我有车，去你那儿很方便。

(6) 商店关门了，我们_____吧。

(7) 你们快_____聊吧，屋子里特别暖和。

(8) 我看见安娜从超市_____以后，又去了旁边的邮局。

(9) 我搬新家了，欢迎你们_____玩儿。

(10) 我在楼下等你，你快点儿_____。

课文 Texts　　　　　（二）今天下午刚回来

我晚点儿去，……

看图思考　Look and think

- 大卫请山田去做什么?
- 山田现在能去吗? 为什么?
- 来中国以后, 你过过生日吗?

大卫敲山本宿舍的门, 山本的同屋山田开门……

David knocked at the door of Yamamoto's dormitory and Yamamoto's roommate Yamada opened the door...

大卫　咦, 山田, 听山本说, 你回国看你妈妈了, 什么时候回来的?

山田　今天下午刚回来。

大卫　你妈妈的病治好了吗?

山田　治好了, 已经出院回家了。进来坐一会儿吧。

大卫　我不进去了。今天是麦克的生日, 我们打算给他开个生日晚会, 你和山本也去吧。

山田　真不巧, 刚才我朋友送来了一篇日语文章, 让我帮他翻译, 他跟我约好九点来拿。

大卫　没关系, 九点晚会应该还没结束呢, 你翻译好了再过去吧。山本呢?

山田 山本刚出去，他说去银行取点儿钱。

大卫 我给他发个短信，让他一回来就去麦克的宿舍。

山田 好吧，你跟大家说一下，我翻译好了马上就去。

生词 New Words

❶	咦	(叹)	yí	(indicating surprising) well, why
❷	治	(动)	zhì	to treat, to cure, to heal
❸	出院		chū yuàn	to leave hospital, to be discharged from hospital
❹	开	(动)	kāi	to hold a (meeting)
❺	晚会	(名)	wǎnhuì	evening party
❻	巧	(形)	qiǎo	accidentally, luckily, opportunely, coincidentally
❼	刚才	(名)	gāngcái	just now
❽	篇	(量)	piān	*a measure word for articles, paper, etc.*
❾	日语	(名)	Rìyǔ	Japanese
❿	文章	(名)	wénzhāng	article, writings
⓫	翻译	(动)	fānyì	to translate, to interpret
⓬	约	(动)	yuē	to make an appointment, to arrange
⓭	取	(动)	qǔ	to withdraw
⓮	马上	(副)	mǎshàng	at once, immediately

回答问题 **Answer the questions**

1. 山田上星期去哪儿了？

2. 山田的妈妈现在怎么样了？

3. 大卫请山本和山田去做什么？

4. 山田当时能去吗？为什么？

5. 山本在吗？他去哪儿了？

6. 大卫为什么要给山本发短信？

语言点注释　Notes on Language Points

1. "刚" 和 "刚才"
"刚" and "刚才"

我今天下午刚到。

刚才我朋友送来了一篇日语文章，让我帮他翻译。

2. V+好
The structure "V+好"

你妈妈的病治好了吗？

我翻译好了马上就去。

1. "刚" 和 "刚才"

　"刚" and "刚才"

讲解　Explanations

（1）"刚"是副词，强调动作行为发生在不久之前，只能用在动词前边。"刚才"是时间名词，强调说话前不久的那段时间，在句子中的位置比较灵活，可以用在动词前，也可以用在主语前，还可以作定语。比较：

The adverb "刚" can only be used before a verb to emphasize that the action happened not long ago. The time noun "刚才" stresses the period of time not long before the speaker speaks. It can be used before a verb or the subject and also can act as the attributive. Please compare:

刚	刚才
他刚来过一个电话。√	他刚才来过一个电话。√
刚我看见他出去了。×	刚才我看见他出去了。√
刚的事，是我不对。×	刚才的事，是我不对。√

（2）用"刚"的句子，动词后边可以用表示时量的词语，"刚才"则不行。比较：

In the sentence with "刚", the verb can be followed by the words or expressions denoting a period of time, while in the sentence with "刚才", the verb can not. Please compare:

我刚来一会儿。　　√　　他刚到十分钟。　　√

我刚才来一会儿。　×　　他刚才到十分钟。　×

（3）"刚才"后边可以用否定词，"刚"则不行。比较：

"刚才" can be followed by a negative word, while "刚" can not. Please compare:

> 你怎么刚才没说这件事，现在才说？　√
> 你怎么刚没说这件事，现在才说？　　×

练习　Practice

用"刚"或"刚才"填空：

Fill in the blanks with "刚" or "刚才"：

（1）_____你说什么？我没听见。

（2）你怎么_____来了两天就要走？

（3）请你再说一遍_____的问题。

（4）你_____还很高兴，现在怎么不高兴了？

（5）我前天_____到北京。

2. V+好
The structure "V+好"

讲解　Explanations

"好"用在动词后边，表示动作完成或达到完善、令人满意的程度。有时候强调完成，例如：

"好" is used after a verb to indicate the completion of an action or reaching the perfect or satisfactory degree. Sometimes it emphasizes the completion. For example:

> ① 饭已经做好了，快来吃吧。
> ② 明天中午我们买好东西就出发。

有时候强调达到完善或令人满意的程度，例如：

Sometimes it emphasizes reaching the perfect or satisfactory degree. For example:

> ① 医生治好了妈妈的病。
> ② 我的自行车什么时候能修好？

Comprehensive Exercises
综合练习

一 复述练习 Retelling

课文（一）

1. 根据课文内容填空：

Fill in the blanks according to the text:

今天是麦克的生日，他哥哥的中国朋友给他_____了生日卡、鲜花和_____。因为不想_____大家，麦克没有告诉朋友们这件事。马丁和大卫觉得这是麦克第一次在中国_____生日，不能太_____，他们打算叫几个同学_____，给麦克过个_____的生日。楼下小卖部还没有_____，马丁要_____买一些_____。大卫的朋友给他送来了很多_____，他_____拿一些下来。马丁让麦克别_____了，在宿舍_____一下。

2. 根据提示复述课文：

Retell the text according to the given structures:

今天是……，……给麦克送来了……、……和……。因为不想……，麦克没有……。马丁和大卫觉得这是……第一次……，不能……，他们打算叫……过来，给麦克……。楼下的小卖部……，马丁要……买……。大卫的朋友给他送来了……，他……拿……。马丁让麦克别……了，在宿舍……。

课文（二）

1. 根据课文内容填空：

Fill in the blanks according to the text:

今天是麦克的生日，朋友们要给他开个生日_____。很不巧，_____山田的朋友送来了一_____日语文章，让他_____，他跟山田_____九点来拿。九点晚会应该还没＿＿＿＿＿＿，大卫让山田翻译好了再＿＿＿＿＿＿。

　　山本现在不在宿舍，他去银行＿＿＿＿＿钱了。大卫要给他发个＿＿＿＿＿＿，让他一回来就去麦克的宿舍。

2. 根据提示复述课文：
Retell the text according to the given structures:

　　今天是……，朋友们要给他……。很不巧，刚才山田的朋友给他……一篇……，让他……。他跟……约好……。九点晚会应该……，大卫让山田……再……。

　　山本现在……，他去……了。大卫要给他……，让他一……就……。

二　会话练习　Conversations

1. 最难忘的生日
The most memorable birthday

（1）两人一组，互相采访，完成下面的采访表。
Interview each other in pairs and complete the interview table.

多少岁生日	
时间	
跟谁一起	
在哪儿	
生日礼物	
为什么难忘	

（2）介绍自己"最难忘的一次生日"。
Tell a birthday party that you will always remember.

2. 根据下面的内容以及提供的词语完成对话：

Complete the dialogues with the given words and expressions according to the following content:

> 　　山本去安妮的宿舍找她。因为晚上同学们要在玛丽家给玛丽过生日。山本最近太忙了，他还没去给玛丽买生日礼物呢。安妮是玛丽的好朋友，她知道玛丽喜欢什么。所以山本想让安妮下午陪他去给玛丽买生日礼物。安妮下午有 HSK 辅导课，3:30 下课，她打算下了课陪山本一起去逛逛。他们约好 3 点 40 在学校东门口见面。

山本：今天是玛丽的生日，＿＿＿＿＿＿＿＿＿＿＿＿＿＿。（忘）

安妮：没关系，＿＿＿＿＿＿＿＿＿＿＿＿＿。（来得及）

山本：我不知道＿＿＿＿＿＿＿＿，＿＿＿＿＿＿＿＿＿＿＿＿。（陪）

安妮：＿＿＿＿＿＿＿＿＿＿＿＿＿＿＿。（不过）

山本：＿＿＿＿＿＿＿＿＿＿＿＿＿＿？

安妮：三点半，＿＿＿＿＿＿＿＿＿＿＿＿。（V₁ 了……就 V₂……）

山本：＿＿＿＿＿＿＿＿＿＿＿＿＿＿。（见面）

安妮：好，不见不散！

三　听录音做练习 Listening and Speaking Drills

（一）他们在哪儿

听后判断正误(对的画 √，错的画 ×)：

Listen to the recording and decide whether the following statements are true or false (√ for true and × for false):

（1）安妮现在可能在商场。　　　　　　　　　　　（　　）

（2）林月在楼下，大卫在楼上。　　　　　　　　　（　　）

（3）他们都在房间里边。　　　　　　　　　　　　（　　）

（4）现在他们在楼上。　　　　　　　　　　　　　（　　）

（5）李老师在房间里边。 　　　　　　　　　　　　　　　（　　　）

（6）那本杂志是图书馆的。 　　　　　　　　　　　　　　（　　　）

（7）林月的爸爸住在北京。 　　　　　　　　　　　　　　（　　　）

（8）山本和安妮现在在山下。 　　　　　　　　　　　　　（　　　）

（二）给她买什么礼物

生词 New Word

香水	（名）	xiāngshuǐ	perfume

听后判断正误（对的画 √，错的画 ×）：

Listen to the recording and decide whether the following statements are true or false (√ for true and × for false):

（1）玛丽的生日是26号。 　　　　　　　　　　　　　　　（　　　）

（2）山本上午去给玛丽买生日礼物。 　　　　　　　　　（　　　）

（3）安妮只打算送给玛丽一瓶香水。 　　　　　　　　　（　　　）

（4）安妮了解玛丽，所以陪山本去买生日礼物。 　　（　　　）

（5）他们下午两点半见面。 　　　　　　　　　　　　　（　　　）

（6）安妮要上楼去找山本。 　　　　　　　　　　　　　（　　　）

四 阅读短文做练习 Reading Exercises

生词 New Words

长寿	（形）	chángshòu	longevity
儿子	（名）	érzi	son
上心	（形）	shàngxīn	to keep in mind
玩具	（名）	wánjù	toy
故事	（名）	gùshi	story, tale
关心	（动）	guānxīn	to pay great attention to
认真	（形）	rènzhēn	serious, earnest
记住	（动）	jìzhù	to learn by heart; to bear in mind

孩子的生日

在妈妈心里，孩子的生日记得最清楚。

记得小时候，每到我过生日，妈妈都不会忘。生日那天从学校回到家，在桌子上总是能看到很多我爱吃的东西，还有一大碗面条，妈妈说吃面条表示长寿的意思。长大了，学习、工作都很忙，常常忘了自己的生日。可是妈妈是不会忘的，生日那天，做好了面条，打电话让我回家去吃。

等我有了儿子，我发现儿子的生日我也能记得很清楚。儿子每次过生日，我都要给他买生日蛋糕，拍生日照……很多母亲比我更上心，孩子过生日要买很贵的礼物，有的还要请人吃饭，开生日晚会。

有一天，一位朋友对我说："我的孩子心里没有我们。以前他每年过生日，全家人都要买很多礼物送给他。今年他已经12岁了，这次我给了他几百块钱，让他自己准备生日礼物，我告诉他，生日那天，爷爷、奶奶会来祝他生日快乐。可是我没想到，所有的钱他都买了自己喜欢的玩具，没有给大家买蛋糕。"

听了她说的故事，我想应该让孩子从小就学会怎么关心别人。我觉得可以从过生日开始做起。每一位妈妈应该先认认真真地给老人过生日，然后再给孩子过生日。你能记住你母亲的生日，你的孩子就能记住你的生日。

读后判断正误（对的画√，错的画×）：

Decide whether the following statements are true or false (√ for true and × for false)：

（1）从小到大，妈妈总是能记住"我"的生日。　　　　　　　　（　　　）

（2）因为"我"喜欢吃面条，所以妈妈在"我"过生日的时候，

　　　给"我"做面条吃。　　　　　　　　　　　　　　　（　　　）

（3）每个孩子过生日都要开生日晚会。　　　　　　　　　　　（　　　）

（4）朋友的孩子过生日的时候只给自己买了玩具和生日蛋糕。（　　　）

（5）"我"觉得孩子只想到自己，不关心别人的做法是不对的。（　　　）

（6）应该先给孩子过生日，然后孩子才能记住父母的生日。　（　　　）

14 不知道带什么礼物去
I do not know what gifts to bring

（一）不知道带什么礼物去

欢迎你们来我家。

带什么礼物去?

看图思考 Look and think

- 大卫给山本拿了一些什么水果来?
- 山本遇到了什么麻烦事?大卫给了他什么建议?
- 要是你是大卫,你给山本什么建议?

大卫来到山本的宿舍找山本……

David called at Yamamoto's dormitory...

大卫 （敲门）山本! 山本!

山本 大卫,是你啊。对不起,我刚才在打电话,没听见敲门声。快进屋来坐吧。

大卫 这是我朋友刚从海南带来的荔枝和芒果,拿点儿来给你尝尝。

山本 太感谢你了! 放在桌子上吧。你可以打个电话来,让我下楼去吃。

大卫 给你打了好几次电话,一直占线。

山本 不好意思,刚才我在跟女朋友聊天儿呢。

大卫 刚才小明打了个电话来，他邀请咱俩周末去他家吃饭。你的电话总占线，他让我转告你一下。

山本 这是我第一次去中国朋友家做客。咱们应该带点儿礼物去吧？

大卫 我暑假回国，带来了几瓶红葡萄酒，我想带一瓶去，大家尝尝。

山本 我带点儿什么去呢？帮我出出主意。

大卫 买一束鲜花带去，表示一下心意吧。

山本 好吧。

生词 New Words

❶	敲	（动）	qiāo	to knock; to rap; to beat; to strike
❷	声	（名）	shēng	sound, voice
❸	屋(子)	（名）	wū(zi)	house, room
❹	荔枝	（名）	lìzhī	litchi, lychee
❺	芒果	（名）	mángguǒ	mango
❻	感谢	（动）	gǎnxiè	to thank, to be grateful
❼	放	（动）	fàng	to put, to place
❽	做客		zuò kè	to be a guest
❾	瓶	（名、量）	píng	bottle, vase, jar (a measure word for bottles, etc.)
❿	葡萄酒	（名）	pútaojiǔ	grape wine
	葡萄	（名）	pútao	grape
⓫	出主意		chū zhǔyi	to offer advice, to make a suggestion
⓬	束	（量）	shù	bundle, bunch
⓭	鲜花	（名）	xiānhuā	flower
⓮	表示	（动）	biǎoshì	to show, to express, to express one's feelings, attitude, etc. with words or acts
⓯	心意	（名）	xīnyì	regard, kindly feelings

回答问题 Answer the questions

1. 大卫开始敲门的时候，山本听见了吗？

2. 大卫给山本带来了什么水果？

3. 大卫给山本打电话了吗？

4. 山本的电话为什么一直占线？

5. 小明给大卫打电话有什么事？

6. 山本以前去中国人家做过客吗？

7. 大卫打算带什么礼物去小明家？山本呢？

语言点注释 Notes on Language Points

简单趋向补语 2：带宾语的 "V+来/去"
Simple directional complement 2:
"V+来/去" with the object

快进屋来坐吧。

刚才小明打了个电话来。

我暑假回国，带来了几瓶红葡萄酒。

讲解 Explanations

1. 在"来"、"去"作趋向补语的句子里，主要的动词可以带宾语，如果宾语是处所词，宾语一定要放在动词后边、"来/去"前边。例如：

In the sentence with "来" or "去" acting as the directional complement, the major verb can be followed by an object; if the object is a location word, it must be put after the verb and before "来/去". For example:

S	+	V	+	O	+	来/去
他	刚	回		学校		来。
我	要	下		楼	去	买点儿东西。
我们	快	进		教室	去	吧。

注意 Note

如果处所宾语放在了"来/去"后边，那么句子就不正确。例如：

If the location object is put after "来/去", the sentence is not correct. For example:

> ① 他刚回来学校。 ✕
> ② 他已经下去楼了。 ✕

2. 宾语如果是表示人或者事物的名词，宾语可以放在"来/去"前边，也可以放在"来/去"后边。例如：

If the object is a noun denoting a person or a thing, the object can be put either before or after "来/去". For example:

S	+	V	+	O	+	来/去	S	+	V	+	来/去	+	O
他			带了	几个朋友		来。	他			带	来了		几个朋友。
我	打算给他寄			几张照片		去。	我	打算给他寄			去		几张照片。
安妮 从商店			买了	一件衣服		来。	安妮 从商店			买	来了		一件衣服。

注意 Note

这类句子中如果有动态助词"了"，可以放在主要动词后，也可以放在趋向补语后。例如：

If the dynamic particle "了" is used in this kind of sentences, it can be put after either the main verb or the directional complement. For example:

> ① 我买了一点儿水果来。
> ② 我买来了一点儿水果。

练习 Practice

1. 用带宾语的"V+来/去"完成句子：

Complete the sentences with "V+来/去" with the object:

（1）外面挺冷的，咱们＿＿＿＿＿＿＿吧。（进　教室）

（2）朋友来中国旅游，给我＿＿＿＿＿＿＿。（带　一件礼物）

（3）我在楼下等你，你快点儿＿＿＿＿＿＿＿。（下　楼）

（4）大卫病了，昨天我去医院看他，给他＿＿＿＿＿＿＿。（买　水果）

2. 改病句：

Correct the sentences:

（1）大卫已经回来学校上课了。

（2）我给你买一本书来了。

（3）别说话了，老师已经进来教室了。

（4）他买来给我一件生日礼物。

课文　Texts　　　　（二）咱们边看边聊

看图思考　Look and think

● 说说从图片中你看到了什么。

● 你去朋友家做过客吗？请你介绍一下。

大卫和山本到了小明家……

David and Yamamoto came to Xiaoming's home...

大卫　小明，你好！

小明　大卫、山本，你们好！快请进！妈，客人到了！

山本　阿姨，您好！打扰您了。第一次来做客，这是我们的一点儿心意。

小明妈　谢谢，你们带了这么多礼物来，太客气了！小明，你招待客人，我去炒菜。

山本　不好意思，路上堵车堵得厉害，让你久等了。

小明　没关系，体育频道有NBA的篮球比赛，我刚才一边看比赛，一边等你们呢。

大卫　今天有NBA的比赛吗？我也爱看。

小明　咱们一边看比赛，一边聊天儿吧。

山本 对，咱们边看边聊。

……

小明妈 菜做好了，可以吃饭了！

山本 阿姨，您的手艺真好！这菜真香啊！

小明 这全是我妈的拿手菜。来，这是大卫带来的葡萄酒，我给大家倒酒，咱们好好儿喝一杯！

生词 New Words

❶	阿姨	（名）	āyí	term of address for any woman of one's mother's generation
❷	招待	（动）	zhāodài	to receive (guests), to entertain, to wait on, to serve (customers)
❸	炒	（动）	chǎo	to pan-fry, to fry, to stir-fry
❹	厉害	（形）	lìhai	terrible, formidable
❺	久等		jiǔ děng	wait for a long time
❻	体育	（名）	tǐyù	sports
❼	频道	（名）	píndào	(of radio or television) channel
❽	一边……		yìbiān……	at the same time
	一边……		yìbiān……	
❾	爱	（动）	ài	to be fond of; to like
❿	手艺	（名）	shǒuyì	craft
⓫	香	（形）	xiāng	delicious, scented, savory, appetizing
⓬	全	（副）	quán	wholly, entirely, completely
⓭	拿手	（形）	náshǒu	adept, expert, good at, skilful
⓮	倒	（动）	dào	to pour, to tip, to dump
⓯	杯	（名）	bēi	cup, glass

回答问题 Answer the questions

1. 大卫和山本到小明家以后，妈妈让小明做什么？她去做什么？

2. 大卫和山本为什么来得有点儿晚？

3. 小明等他们的时候在做什么？

4. 他们都爱看 NBA 的比赛吗？

5. 他们一边看电视一边做什么？

6. 小明妈妈的菜做得怎么样？

7. 他们今天喝什么了？

语言点注释　Notes on Language Points

一边……一边……
The structure "一边……一边……"

我刚才一边看比赛，一边等你们呢。
咱们一边看比赛，一边聊天儿吧。

我喜欢一边吃饭一边看电视。

讲解 Explanation

"一边……一边……"表示同时做两件事，格式为："一边 V_1 O_1，一边 V_2 O_2"。例如：

The structure "一边……一边……" indicates that two events happen simultaneously and the pattern is "一边 V_1 O_1，一边 V_2 O_2". For example:

	一边	V_1	O_1	一边	V_2	O_2
① 大卫	一边	听	音乐，	一边	看	书。
② 我们	一边	喝	茶，	一边	聊天儿。	
③ 他们	一边	唱	歌，我们	一边	跳	舞。

注意 Note

主语相同的时候，"一边"中的"一"可以省略。例如：

When the two verbs have the same subject, "一" in "一边" may be ommitted. For example:

① 我们边看电视，边聊天儿。
② 现在他边工作，边学习，很辛苦。

省略"一"以后，"边"和单音节的动词组合时，中间不停顿。例如：

When "一" is omitted and "边" combines with a monosyllabic verb, there is no pause.
For example:

边看边聊　边听边写　边做边学　边走边说

Comprehensive Exercises
综合练习

一 复述练习 Retelling

课文（一）

1. 根据课文内容填空：

Fill in the blanks according to the text:

大卫的朋友从海南带_____一些荔枝和_____，他拿点儿来给山本尝尝。他给山本打了好几次电话，想让他_____楼_____吃，可是山本的电话一直_____。

小明邀请山本和大卫周末去他家。这是山本第一次去中国朋友家_____，不知道应该_____点儿什么礼物_____。他让大卫帮他出出_____。大卫让他买_____鲜花带去，表示一下_____。

大卫暑假从法国带来了几_____红葡萄酒，他打算带一瓶_____，让大家尝尝。

2. 根据提示复述课文：

Retell the text according to the given structures:

大卫的朋友从……带来……和……，他拿点儿来……。他给……打了……，想让他……，可是山本的电话……。

小明邀请……去……。这是山本第一次……，不知道应该……。他让大卫帮他……。大卫让他买……带去，表示一下……。

大卫……从……带来了……，他打算……，让……尝尝。

课文（二）

1. 根据课文内容填空：

Fill in the blanks according to the text:

　　　　山本和大卫去小明家做客。因为路上堵车堵得很＿＿＿＿＿＿，他们去晚了，觉得很不好意思。体育＿＿＿＿＿＿有 NBA 的篮球比赛，小明刚才在＿＿＿＿＿看球赛，＿＿＿＿＿＿等他们。大卫和山本也很喜欢NBA，吃饭以前，他们＿＿＿＿＿＿看＿＿＿＿＿＿聊。

　　　　小明的妈妈让小明＿＿＿＿＿＿客人，她去厨房＿＿＿＿＿＿。她做了很多＿＿＿＿＿＿菜。大卫他们吃得很高兴。

2. 根据提示复述课文：

Retell the text according to the given structures:

　　　　山本和大卫去……。因为路上……，他们……了，觉得……。体育频道有……，小明刚才在一边……一边……。大卫和山本也……，……以前，他们边……边……。

　　　　小明的妈妈让小明……，她去……。她做了很多……。大卫他们……。

二 会话练习　Conversations

每个人调查五个不同国家的同学，然后向同学们报告调查结果。

Inquire of five classmates from different countries and then report the result to the class.

　　话题：在你们国家，去别人家做客的时候常常带什么礼物去？

　　Topic: What kind of gifts do you usually bring when you go to visit other person's home in your country?

	姓名	国家	带什么礼物去
1			
2			
3			
4			
5			

三 听录音做练习 Listening and Speaking Drills

（一）去做客送什么

生词 New Words

食品	（名）	shípǐn	food; foodstuff
选择	（动）	xuǎnzé	to select; to choose
故事	（名）	gùshi	story; tale
玩具	（名）	wánjù	toy; plaything

听后判断正误（对的画 √，错的画 ×）：

Listen to the recording and decide whether the following statements are true or false (√ for true and × for false):

（1）去朋友家做客，最好带一些比较贵的礼物。　　　　　（　　）

（2）如果男主人不喜欢喝酒，最好不要带酒去。　　　　　（　　）

（3）给女主人的礼物，最好是一束鲜花，别的都不合适。　（　　）

（4）给老人和孩子的礼物可以比较随便。　　　　　　　　（　　）

（5）每个人去别人家做客，都可以带自己做的拿手菜去。　（　　）

（二）去中国朋友家做客

生词 New Words

热情	（形）	rèqíng	warmly, enthusiastic
经历	（动、名）	jīnglì	to go through; to undergo; experience

1. 听后回答问题：

Answer the questions after listening:

（1）林月为什么要请"我"去家里做客？

（2）"我"以前去中国人家做过客吗？

（3）"我"是几点到林月家的？

（4）"我"带了什么礼物去？

（5）林月的父母对"我"热情不热情？

（6）"我"到林月家以后，林月的妈妈做什么了？

（7）"我"跟林月和她爸爸是怎么聊天儿的？

（8）林月妈妈的菜做得怎么样？

（9）第一次到中国人家里做客，"我"高兴吗？为什么？

2. 表达练习：

Oral practice:

说说你第一次去朋友家做客的经历。

Tell us the experience of your first visit to your friend's home.

四 阅读短文做练习　Reading Exercises

生词　New Words

礼仪	（名）	lǐyí	ceremony and propriety; etiquette; protocol
主人	（名）	zhǔrén	host; hostess
衣着	（名）	yīzhuó	clothing
离开	（动）	líkāi	to leave; to depart from; to deviate from
告别	（动）	gàobié	to bid farewell to; to say goodbye to

做客的礼仪

去别人家做客应该怎么做才合适呢？

1. 时间要在主人方便的时候。

2. 准时。这一点特别重要，提前去或者迟到，都不太好。如果迟到了，一定要跟主人说清楚原因。

3. 衣着要干净，不能太随便。

4. 带一些礼物去。礼物不一定非常贵，鲜花、水果、葡萄酒都行，表示一下心意就可以了。

5. 进门以前应该先敲门。没请你进去，不能自己进去。没请你坐下，不能自己坐下。

6. 主人要是有事，应该马上离开。

7. 做客时不能一直不说话。

8. 不要经常看手表，或者做出很着急的样子。

9. 第一次去别人家，不要坐太长时间。

10. 房间里的东西，主人要是不同意，不能随便拿起来看。

11. 先到的客人离开的时候，后到的客人应该站起来送一下。

12. 要是主人请你吃饭的话，应该请年纪大的人先吃。

13. 告别。说了再见的话，应该马上站起来，并请主人有时间到自己家做客。

读后回答问题：

Answer the questions after reading the passage:

（1）去别人家做客的时候，要是迟到了应该怎么办？

（2）去做客的时候，应该穿什么样的衣服？

（3）去别人家做客，进门以后应该注意什么？

（4）第一次去别人家做客，应该注意什么？

（5）比你来得早的客人要离开时，你应该怎么做？

（6）吃饭的时候应该让谁先吃？

（7）跟别人告别的时候，应该说些什么话？

15 我把他看成普通的病人
I regard him as an ordinary patient

课文 Texts （一）把你的自行车借给我用用

看图思考 Look and think

- 大卫要借什么？他要去哪儿？
- 麦克的自行车放在哪儿了？
- 你有自行车吗？你的自行车一般放在哪儿？

在宿舍，大卫向麦克借自行车……

In the dormitory, David borrowed a bike from Michael...

大卫 麦克，下午你用自行车吗？

麦克 不用。我的签证快到期了，我去大使馆办签证。

大卫 把你的自行车借给我用用吧。我的一个朋友摔伤住院了，我去看看他。

麦克 没问题！不过晚上我要用车，跟朋友约好一起去看京剧表演。

大卫 晚饭前我一定能回来。

麦克 把桌上的那个包递给我，车钥匙在里面。……给你。

大卫 你把车放在车棚里了吗？

麦克　我没把车放在车棚里。中午回来的时候，车棚里车太多，我
把车停到小花园旁边了。

大卫　你的车是什么颜色的？

麦克　车是黑色的，锁是蓝色的。

大卫　谢谢！我得走了，我一回来就把车还给你。

麦克　不着急，我们七点才出发呢。

生词　New Words

❶	签证	（名）	qiānzhèng	visa, passport with a visa appended
❷	大使馆	（名）	dàshǐguǎn	embassy
❸	办	（动）	bàn	to do, to handle
❹	把	（介）	bǎ	(preposition) used when the object is the receiver of the action of the ensuing verb
❺	摔	（动）	shuāi	to fall, to tumble, to lose one's balance
❻	伤	（动）	shāng	to injure, to hurt, to wound
❼	住院		zhù yuàn	to be in hospital, to be hospitalized
❽	京剧	（名）	jīngjù	Beijing opera
❾	表演	（动）	biǎoyǎn	to perform an opera, dance, acrobatics, etc.
❿	递	（动）	dì	to hand over, to pass
⓫	钥匙	（名）	yàoshi	key
⓬	车棚	（名）	chēpéng	shed for parking bicycles
⓭	停	（动）	tíng	to park
⓮	花园	（名）	huāyuán	garden
⓯	锁	（名）	suǒ	lock, padlock

回答问题　Answer the questions

1. 麦克下午用自行车吗？他要去哪儿？

2. 大卫要骑车去做什么？

3. 晚上麦克用车吗？他要去哪儿？

4. 大卫什么时候回来？

5. 麦克把车钥匙放在哪儿了？

6. 麦克把车停到哪儿了？为什么？

7. 麦克的车是什么颜色的？

8. 大卫什么时候把车还给麦克？

语言点注释 Notes on Language Points

"把"字句1：把……V+在/到/给

The 把-sentence 1：把……V+在/到/给

你把车放在车棚里了吗？

我把车停到小花园旁边了。

把你的自行车借给我用用吧。

讲解 Explanations

1. "把"字句是汉语中的一种特殊句式。如果要说明动作使某个确定的事物发生位置的变动，必须使用"把"字句。例如：

The 把-sentence is a special sentence pattern. To explain that an action makes a certain thing move, the 把-sentence must be used. For example:

① 他把包放在自行车后面了。

② 她把包放到柜子里了。

此类"把"字句的结构形式是：

The structure of 把-sentence is as follows:

S	P				
	把 +	O +	V+在/到 +	Location	
他		把	包	放 在	自行车后面了。
大卫	没	把	他的词典	放 在	桌子上。
你	可以	把	包	放 到	柜子里。
我	已经	把	朋友	送 到	火车站 了。

2. 如果要说明某个确定的事物通过动作传递给某一对象，一般要使用"把"字句。例如：

To explain that a certain thing passes onto an object through an action, the 把-sentence is generally used. For example:

> ① 她把钱递给售货员了。
> ② 麦克把自行车借给大卫了。

此类"把"字句的结构形式是：

The structural form of 把-sentence is as follows:

S	P					
	把 +	O +	V	+给 +	sb.	
她		把	钱	交	给	售货员了。
大卫	没	把	他的词典	借	给	安妮了。
玛丽	想	把	她的照片	寄	给	妈妈。

 注意 Note

1. "把"字句的否定形式是在"把"前加上"不"、"没(有)"或"别"，即："不/没(有)/别+把+O+在/到/给+……"。比较：

The negative form of 把-sentence is adding "不/没/别+把+O+在/到/给+……" before "把". Please compare:

> ① 我没(有)把自行车停在车棚里。 √
> 　 我把自行车没(有)停在车棚里。 ×
> ② 你别把钱借给他。 √
> 　 你把钱别借给他。 ×

2. 副词、能愿动词或时间名词，必须放在"把"的前边。比较：

The adverb, modal verb or time noun should also be put before "把". Please compare:

① 我常常把自行车停在楼下。✓

我把自行车常常停在楼下。✗

② 我要把桌子搬到楼下去。✓

我把桌子要搬到楼下去。✗

③ 我明天把作业交给老师。✓

我把作业明天交给老师。✗

练习 Practice

1. 用以下词语组"把"字句，帮"大卫的生日晚会"布置一下房间。

Make 把-sentences with the following words or expressions and help arrange the room for "the Evening for David's Birthday".

书	放	书架
桌子	搬	客厅中间
画儿	贴	墙上
生日快乐	写	生日卡上
鲜花	放	桌子上
蛋糕	放	桌子中间
钥匙	递	我
礼物	送	大卫

2. 用"把"字句回答问题：

Answer the questions with 把-sentences:

(1) 你的书包放在哪儿了？

(2) 你想借你同屋的自行车，该怎么说？

(3) 你有自行车吗？你的自行车放在哪儿了？

(4) 你的好朋友来中国旅行，回国的时候你要送他到机场吗？

(5) 你的作业本忘在宿舍了，你怎么跟老师说？

(6) 你每天的作业都要交给谁？

(7) 朋友的电话号码你都写在哪儿？

课文 Texts （二）我把他看成普通的病人

看图思考 Look and think

- 大卫去哪儿了？他去做什么？
- 他带了什么礼物去？
- 在你们国家，去医院看望病人的时候，一般带什么礼物？

大卫买了水果和鲜花到医院看小明……

David bought fruit and flowers to visit Xiaoming in the hospital...

大卫 护士小姐，请问李小明在这个病房吗？

王兰 这是1号病房，他在7号病房。我带你去吧。

大卫 不好意思，可能是我把7听成1了。

王兰 小明，有人来看你！

小明 大卫！你好！谢谢你来看我。

大卫 伤得厉害吗？

小明 不要紧，再过几天就可以出院了。

王兰 把水果放在桌子上吧。把花儿给我，我把它插到花瓶里。

小明 还没介绍呢，这是我的女朋友，王兰。这是大卫。

王兰 你好！认识你很高兴！

大卫 你是小明的女朋友？不好意思，刚才我把你当成护士了。

小明 王兰是医学院的学生，正好在这里实习。

大卫 你在这里一边实习一边照顾他，他该不想出院了吧？

王兰 在这里，我只把他看成普通的病人。

生词 New Words

❶	护士	（名）	hùshi	nurse
❷	病房	（名）	bìngfáng	hospital ward, sickroom
❸	成	（动）	chéng	to become, to turn into
❹	不要紧		bú yàojǐn	it's not serious, it doesn't matter
	要紧	（形）	yàojǐn	important, essential; critical, serious
❺	插	（动）	chā	to stick in, to insert
❻	花瓶	（名）	huāpíng	vase
❼	当	（动）	dàng	to be treated as, to be regarded as
❽	医学院	（名）	yīxuéyuàn	medical school
❾	实习	（动）	shíxí	to practice, to do fieldwork
❿	照顾	（动）	zhàogu	to look after, to take care of
⓫	该	（助动）	gāi	ought to, should
⓬	普通	（形）	pǔtōng	common, general, ordinary
⓭	病人	（名）	bìngrén	patient, sick person

回答问题 Answer the questions

1. 大卫去哪儿看小明？

2. 小明住在几号病房？大卫去了几号病房？为什么？

3. 小明伤得厉害吗？

4. 大卫给小明带去了什么礼物？

5. "护士小姐"把水果和鲜花都放在哪儿了？

6. 那位"护士小姐"是谁？

7. 大卫为什么觉得不好意思？

8. 小明的女朋友为什么在医院工作？

9. 在医院里，小明的女朋友把小明看成自己的男朋友吗？

语言点注释　**Notes on Language Points**

> ### "把" 字句 2：把……V+成
>
> The 把-sentence 2: 把……V+成
>
> 可能是我把7听成1了。
>
> 我只把他看成普通的病人。

你把"锻炼"的"炼"写成"练习"的"练"了。

讲解　Explanation

　　如果要说明某个确定的人或事物通过动作成为什么，这时必须用"把"字句。例如：

If you want to indicate somebody or something has changed because of an action, you must use the 把-sentence. For example:

	S	把	A	V	成	B	
汉语——英语	他	把	汉语	翻译	成	英语	了。
美元——人民币	他要	把	美元	换	成	人民币	。
休息——体息	他	把	"休"	写	成	"体"	了。

练习 Practice

用"把……V+成"完成句子：

Complete the sentences with "把……V+成"：

（1）A：我说的是四点见面，不是十点见面。

  B：对不起，我听错了，＿＿＿＿＿＿＿＿＿＿＿＿＿＿＿＿＿。

（2）A：玛丽，请你＿＿＿＿＿＿＿＿＿＿＿＿＿＿＿＿＿＿，好吗？

  B：行，这个句子用汉语说就是"不见不散"。

（3）A：你想换什么钱？

  B：＿＿＿＿＿＿＿＿＿＿＿＿＿＿＿＿＿。

（4）A：她不是我女朋友，她是我妹妹。

  B：对不起，＿＿＿＿＿＿＿＿＿＿＿＿＿＿＿＿。

（5）A：大卫，你写错了，这是"蓝色"的"蓝"，不是"篮球"的"篮"。

  B：哦，＿＿＿＿＿＿＿＿＿＿＿＿＿＿＿＿。

Comprehensive Exercises
综合练习

一 复述练习 Retelling

课文（一）

1. 根据课文内容填空：

Fill in the blanks according to the text:

　　麦克下午不用自行车，他的_____快到期了，他要去_____办签证。他_____自行车_____大卫了。因为大卫的一个朋友_____住院了，他要去看他。麦克没把自行车_____车棚里，因为中午回来的时候，车棚里车太多，他就把车_____小花园旁边了。他的车是黑色的，_____是蓝色的。

2. 根据提示复述课文：

Retell the text according to the given structures:

　　麦克下午不用……，他的……快……了，他要去……办……。他把……借给……了。因为大卫的一个朋友……了，他要去……。麦克没把……放在……，因为……的时候，车棚里……，他就把……停到……了。他的车是……，锁是……。

课文（二）

1. 根据课文内容填空：

Fill in the blanks according to the text:

　　大卫去医院看李小明。小明住7号_____，可是大卫把7_____1了，走错了病房。小明的伤现在_____了，过几天就可以出院。

　　小明的女朋友王兰，是_____的学生，现在正好在这家医院_____。大卫把王兰_____护士了，他觉得很不好意思。大卫觉得王兰一边实习一边＿＿＿＿＿小明，小明＿＿＿＿＿不想出院了。可是王兰说，在医院里，她只把小明看成＿＿＿＿＿的病人，没把他＿＿＿＿＿自己的男朋友。

2. 根据提示复述课文：

Retell the text according to the given structures:

大卫去……看……。小明住……，可是大卫把……听成……了，走错了……。小明的伤现在……，过几天就……。

小明的女朋友王兰，是……的学生，现在正好在……。大卫把……当成……了，他觉得……。大卫觉得王兰一边……一边……，小明该不想……了。可是王兰说，在医院里，她只把……看成……，没把……当成……。

二 会话练习 Conversations

1. 两人一组，根据下面的内容组织对话。

Talk in pairs according to the following information.

> 山本去大卫那儿借自行车，他要去超市买点儿东西。因为他的自行车坏了，他把车送到修车处去修了。大卫下午不用自行车，他把车借给山本了。不过他忘了昨天晚上把车放在哪儿了，可能放在楼下的车棚里了，也可能放在楼旁边的那个车棚里了。大卫把车钥匙交给了山本，让山本自己下楼去找找。他的车是蓝色的，锁是黑色的。

大卫：哎，山本，你怎么来了？找我有事吗？

山本：＿＿＿＿＿＿＿＿＿＿＿＿＿＿＿＿＿＿＿＿＿。

大卫：你的自行车呢？

山本：＿＿＿＿＿＿＿＿，＿＿＿＿＿＿＿＿＿＿＿＿＿＿。

大卫：行，我下午不用车。

山本：＿＿＿＿＿＿＿＿＿＿＿＿＿＿＿＿＿＿＿＿？

大卫：我忘了，可能＿＿＿＿＿＿＿＿＿＿＿＿＿＿＿＿。

山本：＿＿＿＿＿＿＿＿＿＿＿＿＿＿＿＿＿＿？

大卫：我的车很好找，＿＿＿＿＿＿＿＿＿＿＿＿＿。

2. 看图说话：

Look and say:

三 听录音做练习 Listening and Speaking Drills

（一）把你的自行车借给我用用吧

生词 New Words

挂	（动）	guà	to hang; to put up; to suspend
口袋	（名）	kǒudài	pocket; bag; sack
丢三落四		diū sān là sì	to be always forgetting things; to be careless and sloppy

1. 听后回答问题:

Answer the questions after listening:

（1）山本下午用自行车吗？他打算做什么？

（2）马丁找山本有什么事？

（3）山本平时把车钥匙放在哪儿？

（4）山本找钥匙的时候，找了哪些地方？

（5）山本的车钥匙在哪儿？

（6）山本为什么把钥匙放在电视柜上？

（7）"丢三落四"是什么意思？

2. 成段表达:

Paragraph expression:

说说你或你朋友丢三落四的故事。

Tell us a story about how careless you or your friend was.

（二）我也闹过这样的笑话

生词 New Words

首都	（名）	shǒudū	capital
剧场	（名）	jùchǎng	theatre
开头	（名）	kāitóu	start; beginning
闹	（动）	nào	to crack jokes; to tease
笑话	（名）	xiàohua	joke; jest; pleasantry
被子	（名）	bèizi	quilt
差点儿	（副）	chàdiǎnr	almost, nearly
重要	（形）	zhòngyào	important; significant

听后回答问题:

Answer the questions after listening:

（1）山本为什么来找大卫？

（2）山本把大卫的自行车放到哪儿了？

（3）大卫让山本把车钥匙放在哪儿？

（4）大卫刚才去哪儿了？

（5）大卫去看京剧的时候迟到了吗？为什么？

（6）山本那次在超市闹了个什么笑话？

四 阅读短文做练习 Reading Exercises

生词 New Words

分类	（动）	fēnlèi	to classify
位置	（名）	wèizhi	place; location
侦探	（名）	zhēntàn	detective; spy
突然	（形）	tūrán	sudden; abrupt; unexpected
决心	（名）	juéxīn	determination; resolution
将来	（名）	jiānglái	future
比尔·盖茨	（专名）	Bǐ'ěr Gàicí	Bill Gates

从小看大

1956 年，我在一所小学的图书馆工作。一天，一个朋友介绍一个四年级学生来图书馆帮忙，他告诉我这个孩子非常聪明。

不久，一个又瘦又小的男孩儿来了。我先给他讲了讲图书是怎样分类的，然后让他把书架上那些放错地方的书找到，再把它们放回原来的位置。小男孩儿问："像是当侦探吗？"我回答："那当然。" 小男孩儿非常高兴，开始认真地工作。下班以前，他已经找到了三本放错地方的书。

第二天他来得更早，而且干得更努力。又过了两星期，他突然邀请我去他家做客。吃晚饭时，孩子的母亲告诉我，他们要搬家了，搬到城里的另一个小区，想把孩子也送到那里的学校上学。

孩子走了，我经常想起他。但是两个星期以后，他又站在了图书馆门口。他告诉我，他非常喜欢在图书馆的工作，可是那边的图书馆不让学生工作，所以妈妈又把他送回我们这边来上学，每天他爸爸开车把他送到学校。"如果爸爸不送我，我就自己走路来。"孩子说。当时，我心里就想，这孩子这么有决心，将来世界上没有他不能做到的事。但是我还是没有想到，最后他会成为世界上最有钱的人——比尔·盖茨。

读后回答问题：

Answer the questions after reading the passage：

（1）"我"是怎么认识那个小男孩儿的？

（2）第一天"我"让小男孩儿做什么工作？

（3）小男孩儿工作得怎么样？

（4）小男孩儿为什么不能在图书馆工作了？

（5）小男孩儿为什么又回到以前的学校上学了？

（6）"将来世界上没有他不能做到的事"，这句话是什么意思？

（7）小男孩儿长大以后成为一个什么样的人？

16

我穿着白色 T 恤
I wear a white T-shirt

（一）我只能坐着

看图思考 Look and think

- 安妮怎么了？
- 安妮请大卫帮她什么忙？
- 安妮的朋友长什么样？

安妮腿摔伤了，大卫去安妮的宿舍看安妮。大卫敲门……

Annie's leg is broken and David goes to her dorm to look after her. David knocks at the door...

安妮　门开着呢，请进！

大卫　安妮，你的腿好点儿了吗？

安妮　不能动，一动就疼。我现在只能这样坐着，或者在床上躺着。

大卫　好好儿休息，如果有什么事，就跟我说一声，我帮你做。

安妮　真巧，有件事想麻烦你帮个忙。

大卫　什么事？

安妮　我同学瑞贝卡今天从西安来北京，你能替我去机场接她一下吗？她说她的行李挺重的。

大卫 没问题！她长什么样？有照片吗？

安妮 我只有一张我们大学毕业时的合影。你看，这个站在我旁边，穿着裙子、戴着眼镜的，就是瑞贝卡。

大卫 长头发，大眼睛，挺漂亮的啊！

安妮 我把她的手机号给你，到时候你跟她联系吧。

生词 New Words

❶	着	（助）	zhe	an auxiliary verb used after a verb to indicate the continuation of an action or a state
❷	腿	（名）	tuǐ	leg
❸	动	（动）	dòng	to move, to stir, to touch
❹	躺	（动）	tǎng	to lie, to recline, to lie down
❺	如果	（连）	rúguǒ	if, in case, in the event that
❻	声	（量）	shēng	a measure word used for sound
❼	替	（动）	tì	to act on behalf of
❽	行李	（名）	xíngli	luggage, baggage
❾	长	（动）	zhǎng	to grow, to develop
❿	合影	（名）	héyǐng	joint photo, group photo
⓫	站	（动）	zhàn	to stand
⓬	戴	（动）	dài	to put on, to wear sth. on the head, face, neck, chest, arm, etc.
⓭	眼镜	（名）	yǎnjìng	spectacles, eyeglasses
⓮	头发	（名）	tóufa	hair
⓯	眼睛	（名）	yǎnjing	eye

专有名词 Proper name

瑞贝卡	Ruìbèikǎ	Rebecca

回答问题 Answer the questions

1. 安妮怎么了？现在好了吗？
2. 安妮请大卫帮什么忙？
3. 安妮有瑞贝卡的照片吗？
4. 照片上，瑞贝卡什么样？
5. 大卫怎么跟瑞贝卡联系？

语言点注释　Notes on Language Points

动态助词 "着 1"：表示动作或状态的持续

The dynamic particle "着 1": indicating the continuation of an action or a state

门开着。

我现在只能这样坐着，或者在床上躺着。

讲解 Explanations

1. 动态助词 "着" 可以用在动词、形容词的后边，表示动作或状态的持续。例如：

The dynamic particle "着" can be used after a verb or an adjective to indicate the continuation of an action or a state. For example:

S	V/Adj ＋ 着　（+O）		
门		开　着。	
她		戴　着	眼镜。
她	在椅子上	坐　着。	
汽车	在路边	停　着。	
灯		亮　着。	

2. 否定形式是：没（有）……着。例如：

The negative form of the sentence with the dynamic particle "着" is "没（有）……着".

For example:

> A：怎么这么冷？门开着呢吗？
> B：我看看。门没开着，窗户开着呢。

3. 作否定回答时，可以只用"没有"。例如：

The negative answer to the sentence with "着" can be "没有". For example:

> A：教室的门开着吗？
> B：没有。

练习　Practice

1. 根据提示，用"V+着"结构看图说话。

Describe the picture with "V+着".

（提示词 clue：这是安妮和美爱的宿舍，窗户……，电视……，她们的合影……，书和词典……，美爱……，安妮……；她们一边……一边……）

2. 用"V+着"结构描述一下你周围同学的穿着打扮。

Describe how your classmates look like with "V+着".

课文 Texts （二）手里拿着红色的手机

机场出口

接瑞贝卡

看图思考 Look and think

- 大卫接到瑞贝卡了吗？他是怎么做的？
- 要是让你去机场接一个你没见过面的人，你会怎么做？

大卫在机场接瑞贝卡，他正给瑞贝卡打电话……

David is at the airport to meet Rebecca and he is calling her right now...

大卫 喂，请问是瑞贝卡吗？

瑞贝卡 是，您是哪位？

大卫 我是安妮的同学大卫，安妮让我来接你。你出来了吗？

瑞贝卡 出来了，我推着行李车，正往出口走呢。

大卫 你穿着什么颜色的衣服？

瑞贝卡 我穿着白色T恤和蓝色牛仔裤。

大卫 我看见了，上身穿着白色T恤，头上戴着白色的帽子，手里拿着红色的手机，是不是？

瑞贝卡 我也看见你了，手里举着一张白纸，上面写着我的名字。

大卫 你好！我来帮你推行李车吧。

瑞贝卡 谢谢你，大卫！

大卫 不客气。哇，你的行李真重啊！

瑞贝卡 不好意思，两个箱子里都装着我在西安买的工艺品，差点儿
就超重了。

生 词 New Words

❶	推	(动)	tuī	to push
❷	行李车	(名)	xínglichē	luggage cart
❸	正	(副)	zhèng	to be doing, just (doing sth.)
❹	出口	(名)	chūkǒu	exit
❺	T 恤	(名)	T-xù	T-shirt
❻	身	(名)	shēn	body
❼	帽子	(名)	màozi	hat, cap
❽	举	(动)	jǔ	to lift, to raise, to hold up
❾	纸	(名)	zhǐ	paper
❿	哇	(叹)	wā	*sound of vomitting or crying*
⓫	箱子	(名)	xiāngzi	box, case, trunk
⓬	装	(动)	zhuāng	to load, to hold, to pack
⓭	差点儿	(副)	chàdiǎnr	almost, nearly
⓮	超重		chāo zhòng	to overweigh

回答问题 Answer the questions

1. 大卫给瑞贝卡打电话的时候，她在做什么？

2. 瑞贝卡今天穿着什么衣服？

3. 大卫看见瑞贝卡的时候，她是什么样子？

4. 瑞贝卡是怎么找到大卫的？

5. 瑞贝卡的行李重不重？

6. 瑞贝卡的箱子里装着什么东西？

语言点注释 Notes on Language Points

动态助词"着2"：表示存在

The dynamic particle "着2":
indicating the existence

手里拿着红色的手机。

两个箱子里都装着我在西安买的工艺品。

是我的书。

桌子上放着一本书，是你的吗?

讲解 Explanations

1. 动态助词"着"还可以用于存现句中，表示以某种状态存在。例如：

The dynamic particle "着" can also be used in the there-be sentence to indicate the existence of some state. For example:

① 桌子上放着一本书。
② 路边停着一辆汽车。
③ 花瓶里插着一束鲜花。

2. 用动态助词"着"表示某种状态存在的句子，其结构形式为：

The construction of the sentence with the dynamic particle "着" to indicate the existence is:

NP（location）	V + 着 （+NMW） + N		
桌子上	放 着	一本	书。
路边	停 着	一辆	汽车。
花瓶里	插 着	一束	鲜花。

注意 Note

1. "V+着" 表示存在的句子中，主语一般是表示方位的名词。比较：

The subject is usually the noun of locality in the there-be sentence with "V+着".

Please compare:

> 桌子上放着一本书。√
> 在桌子上放着一本书。×

2. 宾语不能是某个确定的人或事物。比较：

The object can not be a certain person or a thing. Please compare:

> 楼前停着一辆/很多自行车。√
> 楼前停着这辆/我的自行车。×

练习 Practice

看图，用 "V+着" 描述图片内容：

Look and describe the picture with "V+着"：

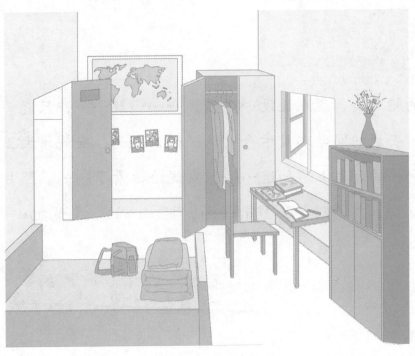

Comprehensive Exercises
综合练习

一 复述练习 Retelling

课文（一）

1. 根据课文内容填空：

Fill in the blanks according to the text:

安妮的腿_____了，现在还没好呢，一_____就疼，只能坐着，或者在床上_____。安妮的同学瑞贝卡今天从西安来北京，安妮请大卫_____她去机场接瑞贝卡，因为瑞贝卡的_____挺重的。大卫不知道瑞贝卡长什么样，安妮给他看了一张大学毕业时的_____。照片上瑞贝卡长_____，大_____，穿着裙子，_____着眼镜，挺漂亮的。安妮把瑞贝卡的手机号给了大卫，让大卫跟她联系。

2. 根据提示复述课文：

Retell the text according to the given structures:

安妮的腿……，现在还没……呢，一……就……，只能……，或者在床上……。安妮的同学瑞贝卡今天从……来……，安妮请大卫去……，因为……挺……的。大卫不知道……，安妮给他看了……。照片上瑞贝卡长……，大……，穿着……，戴着……，挺……的。安妮把……给了……，让大卫……。

课文（二）

1. 根据课文内容填空：

Fill in the blanks according to the text:

大卫给瑞贝卡打电话的时候，她_____行李车，正往_____走呢。大卫看见瑞贝卡了，她上身穿着白色_____，_____穿着蓝色牛仔裤，头上戴着白色的＿＿＿＿＿＿，手里＿＿＿＿＿＿红色的手机。这时，瑞贝卡也看见大卫了，因为大卫手里＿＿＿＿＿＿一张白纸，＿＿＿＿＿＿写着她的名字。大卫帮瑞贝卡推行李车，瑞贝卡觉得很不好意思，因为她的＿＿＿＿＿＿太重了，里面＿＿＿＿＿＿她在西安买的工艺品，差点儿就＿＿＿＿＿＿了。

2. 根据提示复述课文：

Retell the text according to the given structures:

大卫给……的时候，她推着……，正……呢。大卫看见瑞贝卡了，她上身穿着……，下身穿着蓝色……，头上……，手里……。这时，瑞贝卡也看见大卫了，因为大卫手里举着……，上面……。大卫帮瑞贝卡……，瑞贝卡觉得……，因为她的……太……了，里面装着……，差点儿……。

二 会话练习 Conversations

1. 两人一组，找出下面两幅图有哪些不同之处。（注意用"V/Adj+着"结构表达）

Find out in pairs the differences between the following two pictures. (Note: Use the structure "V/Adj+着")

图（一）

图（二）

2. 描述你们班一位同学的样子和衣着，让别的同学猜他是谁。

Describe the appearance and clothing of one of your classmates and let the others guess who he or she is.

3. 两人一组，假设你们都不认识对方，打电话要见面。设计见面的原因、时间、地点，以及见面时两人的衣着。

Practice in pairs and suppose that you do not know each other, you call the other for a meeting. Say clearly the reason, time, venue of the meeting and the clothing of both of you.

三 听录音做练习 Listening and Speaking Drills

我的孩子丢了

生词 New Words

丢	（动）	diū	to lose; to miss
皮肤	（名）	pífū	skin; dermis
脚	（名）	jiǎo	foot
消息	（名）	xiāoxi	message; information
警察	（名）	jǐngchá	police, policeman

1. 听后填表：

Fill in the table after listening:

孩子走丢的时间			孩子的穿着	上身	
孩子走丢的地点				下身	
孩子的情况	男孩儿女孩儿			脚上	
	姓名			头上	
	年龄		联系电话	家里	
	身高			手机	
	样子				

2. 根据表格的内容，复述这段对话。
   Retell the dialogue according to the table.

四 阅读短文做练习　Reading Exercises

生词 New Words

好像	（动）	hǎoxiàng	as if, to look like, to seem
圈	（名）	quān	circle, ring
印象	（名）	yìnxiàng	impression
回忆	（动）	huíyì	to recall, to remember
注意	（动）	zhùyì	to pay attention to, to keep one's eyes on
说法	（名）	shuōfǎ	statement, argument
完全	（副）	wánquán	completely, totally, fully
正确	（形）	zhèngquè	correct, right

有趣的一节课

　　记得在读大学时，有一次上课前几分钟，老师走进教室，看了一下手表，告诉大家还有五分钟就要开始上课了。

　　这时外面走进来一个人，她好像是来找什么东西的。进门后她在教室的前面走了一圈儿就出去了。

　　几分钟后，开始上课了。老师的第一句话是："刚才进来的那个人，大家都看见了吧？好，请你们用几句话说说她的样子和她给你们的印象。"

　　这时全班学生马上开始回忆。一个人说："她是一个二十岁左右的姑娘，短头发，穿着蓝色的裙子，戴着眼镜。"另一个人说："她三四十岁，个子不高，头发不长也不短，上身穿着蓝色的衬衫，下身穿着黑色的裤子，是不是戴着眼镜，没看清楚。"又有一个人说："我只是觉得她很不高兴，但是没有注意到她头发的长短，穿的是裙子还是裤子。"就这样，全班学生一个人一个说法，每个说法都不一样，好像进来了二十多个不一样的人，头发从短到长，年龄从小到大，衣服的颜色就更多了。特别是那个人戴没戴眼镜，穿的是裙子还是裤子，很多人都没有看清楚。

　　这时老师又叫那人进来，大家都不说话了。因为没有一个人说得完全正确。

读后判断正误(对的画√,错的画×):

Decide whether the following statements are true or false (√ for true and × for false):

（1）上课几分钟后，一个人走进教室找东西。　　　　　　（　　）

（2）老师让同学们回忆那个人的样子。　　　　　　　　　（　　）

（3）同学们都记得那个人戴着眼镜。　　　　　　　　　　（　　）

（4）同学们知道那个人是长头发，但是不知道她的年龄。（　　）

（5）同学们没看清楚那个人穿的是裙子还是裤子。　　　（　　）

（6）那个人离开教室后，没有走远。　　　　　　　　　　（　　）

（7）他们班只有一个同学完全说对了那个人的样子。　　（　　）

第五单元　运动　健康
Unit Five　Sport and Health

课号 Lesson	题目 Title	话题 Topic	语言点 Language Points
17	我不如你打得好	体育比赛 Sports games	1. 用"比"的比较句 3： 带状态补语的比较句 The comparative sentence 3: The comparative sentence with the state complement 2. 动词"不如"：表示比较 The verb "不如": indicating comparison 3. 不但……而且…… The structure "不但……而且……"
18	比平时少吃一些	运动减肥 To loose weight by doing exercises	1. 用"比"的比较句 4： A 比 B+早/晚/多/少+V…… The comparative sentence 4: A 比 B+早/晚/多/少+V…… 2. 越来越……　more and more...
19	从这条路爬上去	户外运动 Outdoor activities	1. 复合趋向补语 Compound directional complement 2. 量词重叠 The duplication of a measure word
20	喝着啤酒看世界杯	世界杯 足球赛 The World Cup football games	1. 动态助词"着 3"：表示动作的伴随 The dynamic particle "着 3": indicating the accompanying state of the action 2. 越……越…… the more... the more...

我不如你打得好
I do not play as well as you

课文 Texts　　　（一）你跑得比我快多了

看图思考 Look and think

● 山本为什么咳嗽？他该怎么办？

● 麦克和山本报名参加运动会了吗？他们打算做什么？

早上，麦克在操场上跑步，看见山本来晚了……

When Michael was running on the playground in the morning, he found Yamamoto was late...

麦克　山本，你怎么现在才来？我以为你不来了呢。

山本　昨天咳嗽咳得很厉害，晚上没睡好，今天比平时起得晚了一点儿。

麦克　你怎么了？感冒了吗？

山本　不是，医生说我抽烟抽得太多了。

麦克　抽烟对身体没有好处，你还是少抽一点儿吧。

山本　医生也劝我少抽烟，多锻炼。对了，学校的运动会你报名了吗？

麦克　没有。我当拉拉队队员，给同学们加油。

山本 我觉得你跑步跑得比我们都快，不报名太可惜了。

麦克 跑步我不行，大卫跑得比我快多了。游泳我拿手，可惜没有游泳比赛。

山本 我也是。我网球打得还可以，要是有网球比赛就好了。

麦克 是吗？我也喜欢打网球，下午咱们俩打一场，怎么样？

山本 行。

生词 New Words

①	以为	（动）	yǐwéi	to think, to believe, to consider
②	医生	（名）	yīshēng	doctor
③	抽烟		chōu yān	to smoke (a cigarette)
	（香）烟	（名）	(xiāng)yān	cigarette
④	好处	（名）	hǎochu	benefit, advantage, profit
⑤	运动会	（名）	yùndònghuì	sports meeting, games
⑥	报名		bào míng	to sign up, to register
⑦	当	（动）	dāng	to act as
⑧	拉拉队	（名）	lālāduì	cheering squad, rooters
	队	（名）	duì	team, group
⑨	队员	（名）	duìyuán	team member
⑩	可惜	（形）	kěxī	what a pity, it's too bad
⑪	网球	（名）	wǎngqiú	tennis
⑫	还可以		hái kěyǐ	not bad, pretty well
⑬	场	（量）	chǎng	*a measure word for game*

回答问题 Answer the questions

1. 山本今天为什么来晚了？

2. 山本为什么咳嗽？

3. 医生劝山本怎么做？为什么？

4. 运动会麦克报名参加了没有？他做什么？

5. 山本觉得麦克应该参加什么比赛？为什么？

6. 麦克觉得自己什么运动最拿手？山本呢？

7. 麦克要跟山本比赛什么？

语言点注释　Notes on Language Points

用"比"的比较句3：带状态补语的比较句
The comparative sentence 3: The comparative sentence with the state complement

你比我们跑得都快。

大卫跑得比我快多了。

讲解 Explanations

1. 在用"比"的比较句中，如果动词带状态补语，例如，"跑得快"、"来得早"等，一般有以下两种表达方式：

In a comparative sentence with "比", if the verb has a state complement, such as "跑得快" and "来得早", there are generally two expressions:

	A V 得 比 B Adj	A 比 B V 得 Adj
玛丽是7:30来的，我是8:00来的。	玛丽 来 得 比 我 早。	玛丽 比 我 来 得 早。
玛丽考了95分，我考了85分。	玛丽 考 得 比 我 好。	玛丽 比 我 考 得 好。

2. 如果动词既带状态补语，又带宾语，有以下两种表达方式：

If the verb has both the state complement and the object, there are two expressions:

	A（V）O V得比 B Adj	A （V）O 比 B V得 Adj
玛丽一分钟写20个汉字,我一分钟写15个汉字。	玛丽(写)汉字写得比我 快。	玛丽(写)汉字比我 写得 快。
玛丽考试考了95分,我考了85分。	玛丽 考 试 考得比我 好。	玛丽 考试 比我 考得 好。

3. 否定形式是用否定副词"没(有)"替换"比"。例如:

The negative form of a comparative sentence is to substitute the negative adverb "没(有)" for "比". For example:

> ① 我考得比玛丽好。
>
> 我考得没(有)玛丽好。
>
> 我没(有)玛丽考得好。
>
> ② 我(写)汉字写得比玛丽快。
>
> 我(写)汉字写得没(有)玛丽快。
>
> 我(写)汉字没(有)玛丽写得快。

练习 Practice

1. 两人一组，根据表中提供的内容，进行问答练习。

Make dialogues in pairs according to the table.

例如：For example:

句型1：问：玛丽(写)汉字写得比麦克快吗?

　　　答1：玛丽(写)汉字写得比麦克快。

　　　答2：玛丽(写)汉字写得没(有)麦克快。

句型2：问：玛丽(写)汉字比麦克写得快吗?

　　　答1：玛丽(写)汉字比麦克写得快。

　　　答2：玛丽(写)汉字没(有)麦克写得快。

	玛 丽	麦 克
起床	早上 6:30	早上 7:45
考试	90 分	80 分
说汉语	流利	不太流利
打网球	不太好	不错
游泳	慢	快
唱歌	非常好听	还可以

2. 根据表格里的内容，介绍一下玛丽和麦克的情况。（注意用上"比"字句）

　　Introduce Mary and Michael according to the table. (Make sure that sentences with "比" are used)

课 文 Texts （二）我不如你打得好

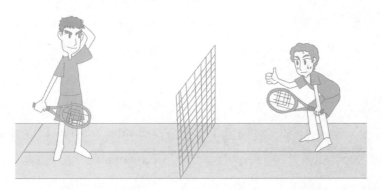

看图思考 Look and think

- 山本和麦克谁赢了？比分是多少？
- 你喜欢打网球吗？你最喜欢的运动是什么？

山本和麦克在网球场打网球……

Yamamoto and Michael are playing tennis in the tennis court...

麦克　2比6，我又输了！你打得真棒！

山本　哪里，你打得也很不错啊。

麦克　我不如你打得好。咱们班恐怕没有人是你的对手。

山本　大卫打得也挺棒的，我们经常一起打。

麦克　我赢过大卫，我觉得他没有你打得这么好。

山本　我现在已经不如以前了，上大学的时候，我得过全校网球比赛的冠军呢。

麦克　是吗？太佩服你了！怪不得我输了。

山本　不过我只会打网球，别的运动都不行。不像你，不但网球打得好，而且游泳游得也很棒。

麦克　你游得怎么样？什么时候咱们俩也比一比？

山本　游泳我肯定不如你，因为我刚学会。

生词　New Words

❶	比	（动）	bǐ	(of a score) to
❷	输	（动）	shū	to lose, to be defeated
❸	赢	（动）	yíng	to win
❹	棒	（形）	bàng	good, fine, excellent
❺	不如	（动）	bùrú	not equal to, not as good as, inferior to
❻	恐怕	（副）	kǒngpà	perhaps, maybe, I'm afraid
❼	对手	（名）	duìshǒu	opponent
❽	经常	（副）	jīngcháng	frequently, often
❾	得	（动）	dé	to get, to obtain, to gain
❿	冠军	（名）	guànjūn	champion
⓫	佩服	（动）	pèifu	to admire, to have admiration for
⓬	不但……		búdàn……	not only... but also...
	而且……		érqiě……	
⓭	肯定	（副）	kěndìng	definitely, undoubtedly

回答问题　Answer the questions

1. 这场网球比赛谁赢了？比分是多少？

2. 麦克觉得山本网球打得怎么样？

3. 麦克觉得山本网球打得好还是大卫打得好？为什么？

4. 山本觉得自己现在打得好还是以前打得好？

5. 打网球山本的最好成绩是什么？

6. 山本网球打得好，别的运动怎么样？麦克呢？

7. 要是比赛游泳的话，他们俩谁能赢？为什么？

语言点注释 **Notes on Language Points**

> ## 1. 动词"不如"：表示比较
>
> The verb "不如": indicating comparison
>
> 我不如你打得好。
>
> 我肯定不如你。
>
> ## 2. 不但……而且……
>
> The structure "不但……而且……"
>
> 你不但网球打得好，而且游泳也很棒。

我不如马丁跑得快。

1. 动词"不如"：表示比较

The verb "不如": indicating comparison

讲解 Explanations

"不如"是动词，可以直接用于比较，"A 不如 B"表示 A 没有 B 好。例如：

The verb "不如" can be directly used for comparison. "A 不如 B" means that A is not as good as B. For example:

> ① 他们班不如我们班。
>
> ② 我的考试成绩不如大卫。
>
> ③ 山本现在网球打得已经不如以前了。

也可以在后面加上比较的具体内容。例如：

It can also be followed by the specific content of comparison. For example:

```
        A    不如    B              Adj
① 那个饭馆不如这个饭馆          便宜。
② 那个饭馆不如这个饭馆环境     好。
③ 那个饭馆不如这个饭馆打扫得 干净。
```

```
    A    不如    B
那个饭馆不如这个饭馆。
```

注意 Note

在"A 不如 B……"中，用在 B 后面的形容词一般是表示积极意义的。心理动词也可以用于这个句式。例如：

The adjectives used after B usually have a positive meaning in the structure "A 不如 B……". Psychological verbs can also be used in this sentence structure. For example:

```
① 坐火车不如坐飞机快。        √
  坐飞机不如坐火车慢。        ×
② 我不如他那么喜欢音乐。      √
```

比较 Compare

用"不如"的比较句和用"没有"的比较句

In a comparative sentence with "不如" and a comparative sentence with "没有"

"A 不如 B……"中的"不如"都可以换成"没有"，但是，"A 不如 B"中的"不如"不能换成"没有"。比较：

"不如" in "A 不如 B……" can be substituted by "没有", but "不如" in "A 不如 B" can not. Please compare:

```
① 走路去不如骑车去快。      √
  走路去没有骑车去快。      √
② 走路去不如骑车去。        √
  走路去没有骑车去。        ×
```

练习 Practice

1. 根据表格内容，用"A 不如 B……"改写句子：

Rewrite the sentences with "A 不如 B……" according to the table:

	玛丽	麦克
身高	1 米 60	1 米 75
中国朋友	七八个	三四个
考试成绩	90 分	80 分
说汉语	流利	不太流利
发音	准	不太准
打羽毛球	不太好	不错
游泳	慢	快

2. 用"A 不如 B"和"A 不如 B……"回答问题：

Answer the questions with "A 不如 B" and "A 不如 B……":

例如：For example:

A：这个公园好还是那个公园好？

B：这个公园不如那个公园。因为这个公园不如那个公园漂亮。

(1) 坐火车去上海好还是坐飞机去上海好？

(2) 一个人去旅行好还是跟旅行团去旅行好？

(3) 找老师辅导好还是找语伴辅导好？

(4) 去远一点儿的地方买东西的话，打的去好还是坐地铁去好？

(5) 去食堂吃饭好还是去饭馆吃饭好？

(6) 住在学校里好还是在学校外边租房子住好？

2. 不但……而且……

The structure "不但……而且……"

讲解 Explanations

"不但……而且……"连接两个并列的小句，第二个小句比第一个小句的意思更进一步。两个小句的主语相同时，"不但"放在第一个小句主语的后边。例如：

The structure "不但……而且……" connects two coordinate clauses and the second one indicates a further meaning than the first one. If the two clauses have the same subject, "不但" should be put after the subject. For example:

> ① 他不但会打网球，而且打得非常好。
> ② 小明不但会打乒乓球，而且会打网球和篮球。

两个小句的主语不同时，"不但"放在第一个小句主语的前边。例如：

If the subjects are different, "不但" should be put before the first subject. For example:

> ① 不但大卫会打网球，而且山本也会打网球。
> ② 不但我想去九寨沟旅行，而且安妮也想去九寨沟旅行。

练习 Practice

用"不但……而且……"完成句子：

Complete the sentences with "不但……而且……":

（1）这儿的冬天不但下雪，＿＿＿＿＿＿＿＿＿＿＿＿＿＿＿＿。

（2）玛丽不但会唱歌，＿＿＿＿＿＿＿＿＿＿＿＿＿＿＿。

（3）＿＿＿＿＿＿＿＿＿＿＿＿＿＿＿，而且去过西安。

（4）不但我没去过上海，＿＿＿＿＿＿＿＿＿＿＿＿＿＿。

（5）＿＿＿＿＿＿＿＿＿＿＿＿＿＿，而且妹妹也对书法感兴趣。

Comprehensive Exercises
综合练习

一 复述练习 Retelling

课文（一）

1. 根据课文内容填空：

Fill in the blanks according to the text:

山本今天很晚才去操场锻炼身体。他昨天咳嗽咳得很_____，晚上没睡好，所以早上比_____起得晚了一点儿。_____说，他咳嗽是因为_____抽得太多了。抽烟对身体没有_____，医生_____他少抽烟，多_____。

学校的运动会麦克没有_____参加，他_____拉拉队队员，给同学们_____。他觉得自己跑步跑得没有大卫快。他最_____的运动是游泳，_____运动会没有游泳比赛。他还喜欢打_____，他要跟山本打_____网球比赛。

2. 根据提示复述课文：

Retell the text according to the given structures:

山本今天……才去……。他昨天咳嗽……，晚上……，所以早上比平时……。医生说，……是因为……。……对……没好处，医生劝他少……，多……。

学校的运动会麦克没有……，他当……，给……加油。他觉得自己跑步……。他最拿手的……是……，可惜……没有……。他还喜欢……，他要跟山本……。

课文（二）

1. 根据课文内容填空：

Fill in the blanks according to the text:

　　麦克和山本比赛打网球，最后 2 比 6，山本＿＿＿＿了，麦克＿＿＿＿了。麦克觉得山本的网球打得很＿＿＿＿，他们班＿＿＿＿没有人是他的＿＿＿＿。山本告诉麦克，他现在打得已经＿＿＿＿以前了，上大学的时候，他得过全校网球比赛的＿＿＿＿。

　　麦克很＿＿＿＿山本。但是山本觉得自己只会打网球，别的运动都不行。不像麦克，＿＿＿＿网球打得好，＿＿＿＿游泳也很棒。要是比赛游泳，他＿＿＿＿不如麦克，因为他刚学会游泳。

2. 根据提示复述课文：

Retell the text according to the given structures:

　　麦克和山本……，最后 2 比 6，山本……，麦克……。麦克觉得山本的网球打得……，他们班……没有人……。山本告诉麦克，他……不如……，上大学的时候，他得过……。

　　麦克很……山本。但是山本觉得自己只会……，别的……。不像麦克，不但……，而且……。要是……，他肯定……，因为……。

二 会话练习　Conversations

1. 看图编故事。（注意用含 "V 得 Adj" 的比较句表达）

Look at the pictures and make up a story. (Note: Use the comparative sentence structure "V 得 Adj")

2. 调查：你最拿手的体育运动是什么？

Investigation: What kind of sports are you the best at?

每个人采访你周围的五位同学，完成下面的调查表，并向全班同学汇报。

Interview five classmates around you, complete the interview table and report to the class.

姓名	最拿手的体育运动	最好的成绩

三 听录音做练习 Listening and Speaking Drills

（一）别抽那么多烟了

生词 New Words

戒烟		jiè yān	to give up smoking
差	（形）	chà	poor
项目	（名）	xiàngmù	item; event

听后判断正误(对的画 √，错的画 ×):

Listen to the recording and decide whether the following statements are true or false (√ for true and × for false):

(1) 大卫的感冒还没有好呢，所以他一直咳嗽。　　　　　　　（　　　）

(2) 因为这次大卫一直咳嗽，所以他的朋友安妮劝他戒烟。　　（　　　）

(3) 大卫有十多年抽烟的历史了。　　　　　　　　　　　　　（　　　）

(4) 大卫觉得戒烟对他来说，是一件比较难的事。　　　　　　（　　　）

(5) 大卫不同意戒烟。　　　　　　　　　　　　　　　　　　（　　　）

(6) 医生建议大卫多锻炼身体。　　　　　　　　　　　　　　（　　　）

(7) 以后大卫可能去操场跑步，也可能去打太极拳。　　　　　（　　　）

（二）什么时候能跟他打一场比赛就好了

生词　New Words

精彩	（形）	jīngcǎi	marvelous; wonderful
亚军	（名）	yàjūn	second place (in a sports contest)
同时	（名）	tóngshí	at the same time; concurrently; meanwhile

听后回答问题:

Answer the questions after listening:

(1) 下午留学生比赛什么了？精彩吗？

(2) 加文去看比赛了吗？他去哪儿了？

(3) 今天的比赛谁赢了？比分是多少？

(4) 加文以为谁能赢？为什么？

(5) 山本网球打得怎么样？

(6) 加文请安妮帮他什么忙？

(7) 要是加文和山本打比赛的话，安妮去做什么？

四 阅读短文做练习　Reading Exercises

奥运会

　　奥林匹克（Olympic）运动会是体育运动项目最多的国际性运动会。从1896年开始，每四年举行一次，都在夏季，时间不超过16天。因为1924年开始又设立了冬季奥林匹克运动会，所以奥林匹克运动会习惯上又叫"夏季奥林匹克运动会"。奥林匹克运动会现在已经成了和平和友谊的象征。

　　下面是现在夏季奥林匹克运动会的正式比赛项目：

项目	时间
箭术	1900年—1908年，1920年，1972年—现在
田径	1896年—现在
羽毛球	1992年—现在。1972年不是比赛项目，是表演项目。
棒球	1992年—2008年。1912年，1936年，1956年，1964年，1984年，1988年不是比赛项目，是表演项目。2012年退出奥运会。
篮球	1936年—现在
沙滩排球	1996年—现在
拳击	1904年—1908年，1920年—现在
皮划艇	1936年—现在。1924年不是比赛项目，是表演项目。
自行车	1896年—现在
跳水	1904年—现在
马术	1900年，1912年—现在
击剑	1896年—现在
足球	1900年—1928年，1936年—现在
体操	1896年—现在
手球	1936年，1972年—现在
曲棍球	1908年，1920年—现在
柔道	1964年，1972年—现在
现代五项	1912年—现在
艺术体操	1984年—现在
赛艇	1900年—现在

帆船	1900 年，1908 年—现在
射击	1896 年—1924 年，1932 年—现在
垒球	1996 年—2008 年。2012 年退出奥运会。
游泳	1896 年—现在
花样游泳	1984 年—现在
乒乓球	1988 年—现在
跆拳道	2000 年—现在。1988 年—1992 年是表演项目。
网球	1896 年—1924 年，1988 年—现在。1968 年，1984 年是表演项目。
蹦床	2000 年—现在
三项全能	2000 年—现在
排球	1964 年—现在
水球	1900 年—1904 年，1908 年—现在
举重	1896 年，1904 年—1906 年，1920 年—现在
摔跤	1896 年，1904 年—现在

读后回答问题：

Answer the questions after reading the passage:

(1) 四年一次的奥运会，是从什么时候开始的？每次举行多长时间？

(2) 我们常说的"奥运会"是冬季奥运会吗？

(3) 最早开始设立，一直到现在还有的比赛项目一共有几个？

(4) 跳水是从哪一年开始成为比赛项目的？

(5) 有几个比赛项目是从 1900 年开始的？

(6) 花样游泳是哪年成为比赛项目的？

(7) 在定为比赛项目以前，有几个项目是表演项目？

(8) 有几个比赛项目是最晚开始的？是哪一年开始的？

18 比平时少吃一些
Eat less than usual

一起去吃饭吧。

看图思考 Look and think

- 安妮刚才可能去做什么了？
- 美爱同意跟安妮一起去吃饭吗？为什么？
- 你觉得美爱应该怎么办？

安妮练完太极拳回宿舍……

After practicing *taijiquan*, Annie went back to the dormitory...

美爱　安妮，锻炼完了？今天怎么比平时晚回来这么长时间？

安妮　今天太极拳老师比平时多教了半个小时。美爱，一起出去吃晚饭吧。

美爱　你去吧，我不想吃晚饭了。

安妮　怎么了？身体不舒服吗？

美爱　不是，最近我体重增加了不少，该减肥了。

安妮　不吃饭会影响健康，走吧，可以比平时少吃一些。

美爱　真羡慕你，身材这么好。你是怎么保持的？

安妮　保持身材不能只靠节食，还要多运动。你运动得太少了。

美爱　我太懒，不爱运动，这是老毛病了。

安妮　从明天起，你别睡懒觉了，比平时早起床一个小时，跟我去
　　　操场跑步吧。

美爱　行，明天你一起床就叫醒我，我跟你一起去。

生 词 New Words

①	体重	（名）	tǐzhòng	(body) weight
②	增加	（动）	zēngjiā	to increase, to raise, to add
③	该……了		gāi……le	should, must
④	减肥		jiǎn féi	to lose weight
⑤	会	（助动）	huì	be likely to, be sure to
⑥	影响	（动）	yǐngxiǎng	to influence, to affect, to impact
⑦	健康	（名、形）	jiànkāng	good health; to be in good health
⑧	保持	（动）	bǎochí	to keep, to maintain, to preserve
⑨	身材	（名）	shēncái	stature, figure
⑩	靠	（动）	kào	to depend on, to rely on
⑪	节食	（动）	jiéshí	to go on a diet
⑫	懒	（形）	lǎn	lazy, indolent, slothful
⑬	老	（形）	lǎo	old, of long standing
⑭	毛病	（名）	máobìng	shortcoming, weakness
⑮	从……起		cóng……qǐ	from... on

回答问题　**Answer the questions**

1. 安妮今天回来得比平时早还是晚？为什么？

2. 美爱今天出去吃饭吗？为什么？

3. 美爱为什么很羡慕安妮？

4. 安妮觉得要保持身材应该怎么做？

5. 安妮觉得美爱为什么会胖？

6. 美爱的老毛病是什么？

7. 安妮让美爱怎么减肥？

8. 美爱同意安妮的建议了吗？

语言点注释　Notes on Language Points

用"比"的比较句4：A 比 B+早/晚/多/少+V……

The comparative sentence 4:

A 比 B+早/晚/多/少+V……

今天怎么比平时晚回来这么长时间？

你可以比平时少吃一些。

讲解 Explanation

在用"比"的比较句中，"早/晚"、"多/少"可以放在主要动词的前边作状语，其结构形式是：

In a comparative sentence with "比", "早/晚" and "多/少" can be used before the main verb as the adverbial. The construction is:

	A　比　B + 早/晚 + V + ……		
玛丽是 7:30 到教室的，	玛丽 比 麦克　早　到	半个小时。	
麦克是 8:00 到教室的。	麦克 比 玛丽　晚　到	半个小时。	
玛丽是去年 7 月来中国的，	玛丽 比 麦克　早　来中国	一年。	
麦克是今年 7 月来中国的。	麦克 比 玛丽　晚　来中国	一年。	
	A　比　B + 多/少 + V + ……		
玛丽买了三本词典，	玛丽 比 麦克　多　买了	两本词典。	
麦克买了一本词典。	麦克 比 玛丽　少　买了	两本词典。	
玛丽带了两个箱子，	玛丽 比 麦克　多　带了	一个箱子。	
麦克带了一个箱子。	麦克 比 玛丽　少　带了	一个箱子。	

练习　Practice

1. 用"A 比 B+早/晚+V……"结构改写句子：

Rewrite the sentences with the structure "A 比 B+早/晚+V……":

(1) 大卫六点就到机场了，马丁六点半才到机场。

(2) 飞机平时九点起飞，可是今天九点一刻才起飞。

(3) 去上海的火车晚上八点开，去南京的火车八点二十开。

(4) 我们每天都八点半上课，可是今天考试，八点就上课了。

(5) 我早上六点半起床，我同屋七点起床。

(6) 我订了 1 月 15 号的机票回国，安妮订了 1 月 20 号的机票回国。

2. 用"A 比 B+多/少+V……"结构改写句子：

Rewrite the sentences with the structure "A 比 B+多/少+V……":

(1) 昨天暖和，我穿了一件毛衣。今天有点儿冷，我穿了两件毛衣。

(2) 我们班已经学了 600 个生词，他们班学了 500 个生词。

(3) 昨天晚上，大卫写了三封信，马丁写了两封信。

(4) 这个月我看了五本书，我同屋看了两本书。

(5) 午饭以后，我吃了一个苹果，安妮吃了两个苹果。

课文 Texts　　　　　（二）我现在越来越苗条了

减肥效果怎么样?

看图思考　Look and think

- 美爱的减肥效果怎么样?
- 美爱是怎么减肥的?
- 怎样才能保持身材? 说说你的看法。

安妮跟美爱在宿舍里聊天儿……
Annie is chatting with Li Mi-ae in the dormitory...

安妮 美爱,从你开始跑步到现在,快两个月了吧? 效果怎么样?

美爱 你看,我现在越来越苗条,也越来越健康了。

安妮 我还发现,你越来越能吃了。

美爱 我不但越来越能吃了,而且越来越敢吃了。

安妮 什么意思?

美爱 我特别爱吃中国菜,但是以前不敢多吃,因为吃多了容易长胖。现在我不怕了,经常吃。

安妮 没想到,跑步还有这个好处。

美爱 不过,现在天气越来越冷了,早上起来跑步越来越困难了。

安妮 没关系，你可以换成室内运动，像打羽毛球、打乒乓球、游泳什么的。要想保持身材，必须坚持锻炼。

美爱 我明白！

生词 New Words

①	效果	（名）	xiàoguǒ	effect, result
②	越来越		yuè lái yuè	more and more
③	苗条	（形）	miáotiao	slender, willowy, slim
④	敢	（动）	gǎn	dare, to have courage to
⑤	意思	（名）	yìsi	meaning, idea
⑥	怕	（动）	pà	to fear, to dread
⑦	困难	（形）	kùnnan	difficult
⑧	室内	（名）	shìnèi	indoor, interior
⑨	羽毛球	（名）	yǔmáoqiú	badminton
⑩	什么的	（助）	shénmede	and so on, etc.
⑪	必须	（副）	bìxū	must, have to
⑫	坚持	（动）	jiānchí	to persist in, to insist on
⑬	明白	（动）	míngbai	to understand, to realize, to know

回答问题 Answer the questions

1. 美爱跑步已经跑了多长时间了？

2. 美爱减肥的效果怎么样？

3. 美爱为什么说自己越来越敢吃了？

4. 美爱为什么觉得现在早上起来跑步越来越困难了？

5. 安妮建议美爱作什么运动？

6. 要想保持身材，美爱必须怎么做？

语言点注释　Notes on Language Points

越来越……

more and more...

我现在越来越苗条，也越来越健康了。

天气越来越冷了。

讲解　Explanation

"越来越……"表示程度随着时间的推移而变化。例如：

"越来越……" indicates the degree changes as time goes by. For example:

	越来越 + Adj/V（mental verb）	
① 天气	越来越	冷。
② 你们的汉语说得	越来越	流利。
③ 妈妈的身体	越来越	健康，我们全家都很高兴。
④ 玛丽	越来越	喜欢　打太极拳了。

注意　Note

"越来越"表示程度，它后面的形容词或心理动词前不能再加"很、非常"等程度副词。例如：

"越来越" indicates degree and the adjective or mental verb following it can not be modified by adverbs of degree, such as "很", "非常". For example:

① 天气越来越很暖和。　×

② 她越来越非常漂亮了。　×

练习 Practice

用"越来越……"完成句子：

Complete the sentences with "越来越……":

（1）最近几年，北京的汽车_____。

（2）春天快要到了，天气_____。

（3）我的汉语说得_____。

（4）这个小女孩儿长得_____。

（5）我早上没吃早饭，现在_____。

（6）我现在每天都锻炼身体，所以_____。

Comprehensive Exercises
综合练习

一 复述练习 Retelling

课文（一）

1. 根据课文内容填空：

Fill in the blanks according to the text:

今天太极拳老师比平时_____教了半个小时，所以安妮比平时_____回来了一会儿。安妮的同屋美爱今天不去吃晚饭了，因为最近她的体重_____了不少，她想_____。

安妮的_____很好，美爱很_____她。安妮告诉美爱，_____身材不能只_____节食，因为节食影响_____。要想保持身材，就应该多运动。美爱很_____，不爱运动。安妮让她从明天_____，不要睡懒觉了，比平时_____起床一个小时，跟她去操场跑步。美爱同意了。

2. 根据提示复述课文：

Retell the text according to the given structures:

今天……比平时……，所以安妮比平时……。安妮的同屋美爱今天不……了，因为最近她的体重……，她想……。

安妮的……很好，美爱很……她。安妮告诉美爱，保持身材不能……，因为节食……。要想……，就应该……。美爱很……，不爱……。安妮让她从……起，不要……，比……早起床……，跟她去……。美爱……。

课文（二）

1. 根据课文内容填空：

Fill in the blanks according to the text:

　　　美爱从开始跑步到现在，快两个月了。她减肥的＿＿＿＿不错。现在她＿＿＿＿＿苗条，也越来越＿＿＿＿＿了。她觉得自己现在越来越能吃，也越来越＿＿＿＿吃了。她特别爱吃中国菜，但是以前很少吃，因为吃多了容易长胖。现在她不＿＿＿＿＿了，经常吃中国菜。

　　　虽然天气越来越冷；早上起来跑步越来越＿＿＿＿＿了，但是安妮让美爱必须＿＿＿＿＿锻炼。要是不跑步的话，可以换成＿＿＿＿＿运动，像打羽毛球、打乒乓球、游泳＿＿＿＿＿。

2. 根据提示复述课文：

Retell the text according to the given structures:

　　　美爱从……到……，快……了。……不错。现在她越来越……，也越来越……了。她觉得自己越来越……，也越来越……了。她特别爱……，但是以前……，因为吃多了容易……。现在她……，经常……。

　　　虽然……越来越……，早上……越来越……了，但是安妮让美爱必须……。要是不……的话，可以换成……，像……什么的。

二 会话练习　Conversations

两人一组，补足图片内容，说故事。

Word in pairs. Tell the story based on the pictures and make up the part about which the picture is missing.

三 听录音做练习 Listening and Speaking Drills

我要减肥

生词 New Words

| 称 | （动） | chēng | to weigh |
| 主食 | （名） | zhǔshí | staple food; principal food |

听后回答问题：

Answer the questions after listening:

（1）美爱现在比刚到北京的时候重了多少公斤？

（2）美爱为什么要减肥？

（3）要是你想减肥，吃饭的时候应该注意些什么？

（4）吃减肥药真的能减肥吗？

（5）安妮觉得最好的减肥办法是什么？

（6）美爱打算怎么减肥？

四 阅读短文做练习 Reading Exercises

生词 New Words

饮食	（名）	yǐnshí	food and drink; diet
理想	（形）	lǐxiǎng	ideal
日记	（名）	rìjì	diary; journal
蔬菜	（名）	shūcài	vegetable
盐	（名）	yán	salt

该怎样减肥

很多身材肥胖的人都想减肥，让自己变得苗条、漂亮。但是怎样才能减肥呢？有的人相信吃减肥药可以减肥，也有人试过日本的一种"三日苹果减肥法"，觉得不错。虽然减肥的方法有很多，但是我认为最好的方法是：节食加运动。在这里，节食，不是不吃东西，是不要吃得太多。下面我们就介绍一些饮食减肥的方法。

1. 订减肥计划。想好你理想的体重是多少，然后把它写在纸上，贴在你每天能看到的地方。

2. 写减肥日记。说说你每天减肥的情况，记下一段时间以后你的体重是多少，这样就知道自己在这段时间里减了多少公斤。

3. 多喝水。每天要喝七八杯白开水，喝水对身体非常好，可以成为节食的最适合的饮料。

4. 少吃肉，多吃蔬菜和水果。

5. 要少吃盐。咸的东西吃得越多，就越想吃。

6. 要有一个好的饮食习惯。到吃饭的时间再吃饭，吃饭的时候要吃得慢一点儿，每顿饭的时间不少于20分钟。

7. 养成好的生活习惯，生活要有规律。

8. 要坚持。在减肥过程中，最重要的就是"坚持"。不要"试一试"，而要"坚持"。减肥，坚持就是成功！

读后回答问题：

Answer the questions after reading the passage：

（1）肥胖的人都有一个什么想法？

（2）怎么写"减肥日记"？

（3）要是你想减肥的话，最好的饮料是什么？

（4）要是想减肥的话，在吃的方面应该注意些什么？

（5）减肥最重要的是什么？

19 从这条路爬上去
Climb up through this way

课文 Texts （一）从这条路爬上去

咱们走大路吧！

看图思考 Look and think

- 山本他们现在在做什么？
- 休息完以后他们可能做什么？
- 你喜欢爬山吗？爬山的时候你会准备哪些东西？

同学们在爬山……

The class are climbing the hill...

大卫 这座山太高了，我们都爬了一个多小时了，才爬到一半。

山本 是啊，我现在又累又渴。这儿有块大石头，咱们坐下休息一会儿吧。

马丁 行，休息一会儿。

大卫 山本，你坐过来点儿，那儿太危险，小心掉下去。

山本 马丁，香蕉都在你的包里，拿出来吃吧。

马丁 太好了，这样我的包就轻多了。

大卫　这儿的风景太美了！你们坐好，我给大家照几张相。

……

大卫　怎么样，休息好了吗？咱们继续爬吧。

山本　好。没吃完的东西放回包里去，香蕉皮扔进垃圾桶里去。

马丁　看，这儿有条小路。从这条路爬上去，半小时就能到山顶。

大卫　走小路危险，还是走大路吧。出来玩儿，安全最重要。

生词　New Words

❶	爬	（动）	pá	to climb
❷	一半	（名）	yíbàn	half
❸	渴	（形）	kě	thirsty
❹	块	（量）	kuài	*a measure word used to describe sth. cubical or flat*
❺	石头	（名）	shítou	stone, rock
❻	危险	（形）	wēixiǎn	at risk, dangerous
❼	小心	（形）	xiǎoxīn	to be careful, to take care
❽	掉	（动）	diào	to drop, to fall
❾	继续	（动）	jìxù	to continue, to go on with
❿	皮	（名）	pí	peel, rind, skin
⓫	扔	（动）	rēng	to throw, to toss
⓬	垃圾桶	（名）	lājītǒng	garbage can
	垃圾	（名）	lājī	rubbish, garbage
	桶	（名）	tǒng	barrel, bucket, pail
⓭	小路	（名）	xiǎolù	lane, footway, sideway
⓮	山顶	（名）	shāndǐng	top of the mountain, summit
⓯	大路	（名）	dàlù	main road, broad road
⓰	安全	（形、名）	ānquán	safe, secure; safety, security
⓱	重要	（形）	zhòngyào	important, critical

回答问题　Answer the questions

1. 他们爬了多长时间了？到山顶了吗？

2. 山本为什么想坐下来休息一会儿？

3. 大卫为什么让山本坐过来点儿？

4. 马丁想让大家吃他包里的香蕉吗？为什么？

5. 大卫为什么要给大家拍照？

6. 继续爬山以前，他们做了什么事？

7. 从小路爬上山去，多长时间能到山顶？

8. 大卫为什么建议大家从大路爬上去？

语言点注释　Notes on Language Points

复合趋向补语
Compound directional complement

你坐过来点儿，那儿太危险，小心掉下去。
没吃完的东西放回包里去，香蕉皮扔进垃圾桶里去。

他走上楼去了。　　他跑上楼去了。

讲解 Explanations

　　1. 表示趋向的动词"上、下、进、出、回、过、起"等后边加上"来"或"去"，可以放在另一个动词后边作补语，表示动作的趋向，叫做复合趋向补语。其结构形式如下：

Such directional verbs as "上"，"下"，"进"，"出"，"回"，"过" and "起" followed by "来" or "去" can be put after another verb to indicate the direction of an action and act as the compound directional complement. The constructions are as follows:

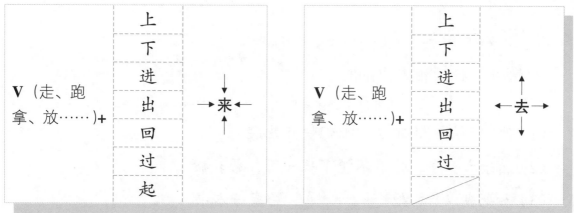

2. 复合趋向补语中，"来"和"去"的使用规律跟简单趋向补语中的"来"和"去"一样。例如：

The usages of "来" and "去" in a compound directional complement are the same with the ones in a simple directional complement. For example:

> ① 山上的风景一定很美，咱们快点儿爬上去吧。
> ② 她从书包里拿出来一本书。
> ③ 桌子上的书掉下去了。

3. 宾语的位置

The position of an object

（1）如果宾语表示处所，宾语一定要放在"来"或"去"的前面。比较：

If an object denotes a location, it must be put before "来" or "去". Please compare:

> ① 上课了，老师走进教室来。√
> 　上课了，老师走进来教室。×
> ② 他跑回宿舍去拿作业本了。√
> 　他跑回去宿舍拿作业本了。×

（2）如果宾语不表示处所，而代表事物，宾语可以放在"来"或"去"前面，也可以放在"来"或"去"后面。例如：

If an object does not denote a location, but a thing, it may be put either before or after "来" or "去". For example:

> ① 他从书架上拿下一本书来。　　√
> 　他从书架上拿下来一本书。　　√
> ② 我想给妈妈寄回两张照片去。　√
> 　我想给妈妈寄回去两张照片。　√

练习 Practice

在横线上填上恰当的趋向补语:

Fill in the blanks with an appropriate directional complements:

(1) 他们已经到山顶了,咱们快点儿爬_____吧。

(2) 箱子太重了,你能不能下来一下,帮我搬_____?

(3) 看见我以后,他走_____给我一本书。

(4) 我到车站的时候,汽车刚刚开_____,我只好等下一辆车。

(5) 小心点儿,别从楼上摔_____!

(6) 我刚刚看见他从图书馆走_____,去了旁边的小卖部。

(7) 听见有人敲门,他马上站_____去开门。

(8) 他从书架上拿_____一本书,看完又放_____了。

课文 Texts　　　　　（二）人人都说我变了

原来的我……

现在的我……

看图思考　Look and think

- 美爱现在跟以前有什么不一样？
- 来中国以后你的生活有什么变化？

美爱给安妮看上次去爬山的时候照的照片……

Li Mi-ae is showing Annie the photos she took when she climbed the hill last time...

美爱　安妮，我爬山的照片洗好了。

安妮　快拿出来让我看看！拍得太好了，张张都这么漂亮！看你，
　　　　笑得多开心啊！

美爱　这都要感谢你！

安妮　为什么要感谢我？

美爱　我原来不爱运动，是你劝我多运动的。自从我开始锻炼以后，
　　　　人人都说我变了，变得又健康又漂亮。

安妮　我也觉得你变了很多。以前你很少出去玩儿，现在，咱们班
　　　　的户外活动，你次次都积极参加。

美爱　是啊。我以前总待在宿舍，朋友很少。现在我交了很多朋友。

安妮　对了，现在不常看见你跑步了，你还在坚持锻炼吗？

美爱　当然了！我去体育馆办了一张健身卡，现在差不多天天都打羽毛球。跟朋友们打球，比一个人跑步有意思多了。

安妮　看来，你的性格也变得活泼可爱了。

生词 New Words

①	洗	（动）	xǐ	to develop (film)
②	笑	（动）	xiào	to smile, to laugh
③	原来	（名）	yuánlái	original, former
④	自从	（介）	zìcóng	since
⑤	变	（动）	biàn	to become, to change
⑥	户外	（名）	hùwài	outdoor
⑦	积极	（形）	jījí	active
⑧	待	（动）	dāi	to stay
⑨	交	（动）	jiāo	to make friends with, to associate with
⑩	健身	（动）	jiànshēn	to keep fit
⑪	差不多	（副）	chàbuduō	almost, nearly
⑫	看来	（动）	kànlái	to appear, to seem
⑬	可爱	（形）	kě'ài	lovable, lovely

回答问题　Answer the questions

1. 美爱给安妮看什么照片？
2. 那些照片拍得怎么样？
3. 美爱为什么要感谢安妮？
4. 美爱以前爱出去玩儿吗？现在呢？
5. 美爱以前的朋友多还是现在的朋友多？为什么？
6. 美爱现在怎么锻炼身体？
7. 美爱的性格跟以前比有什么不一样？

语言点注释 Notes on Language Points

量词重叠

The duplication of a measure word

这些照片张张都很漂亮。

我现在天天都打羽毛球。

现在次次活动都能看见你。

这儿的衣服件件都很贵。

600元 700元 800元

讲解 Explanations

1. 汉语的名量词和动量词都可以重叠，重叠后表示"每一"的意思，强调"所有的"、"全部"，后面常有副词"都"。例如：

Both a noun measure word and a verb measure word can be duplicated. The duplication means "every" and is often followed by the adverb "都" to emphasize "all". For example:

① 我们班的同学个个都很努力。

② 玛丽的衣服件件都很漂亮。

③ 来我家乡旅行的人年年都很多。

④ 她以前次次活动都不参加。

2. 少数名词也可以重叠，如"人人"、"事事"等，作用跟量词重叠一样。例如：

Some nouns can also be duplicated, such as "人人" and "事事". And the function is the same as that of the duplication of the measure word. For example:

① 我们班人人都知道这件事。

② 她是个认真的人，事事都要做到最好。

注意　Note

量词重叠以后一般不能修饰宾语。比较：

A duplicated measure word can not modify an object. Please compare:

> 我试过这里的每一件衣服。　√
>
> 我试过这里的件件衣服。　×

练习　Practice

用量词重叠的形式完成句子：

Fill in the blanks with duplicated measure words:

（1）楼下的自行车_____都很新。

（2）在学校附近，_____饭馆的菜都不贵。

（3）那个商场的牛仔裤_____都不贵。

（4）老师听写的句子，他_____都会写。

（5）我现在差不多_____都去国外旅行一次。

（6）我的宿舍做饭不方便，现在我_____都去外边吃。

（7）他让我们_____活动都要通知他。

Comprehensive Exercises
综合练习

一 复述练习 Retelling

课文（一）

1. 根据课文内容填空：

Fill in the blanks according to the text:

　　大卫他们班同学一起去爬山。爬了一个多小时，才爬到＿＿＿＿＿＿。他们又累又＿＿＿＿＿＿，坐在一＿＿＿＿＿＿大石头上休息一会儿。山本坐的地方太＿＿＿＿＿＿，大卫让他坐＿＿＿＿＿＿点儿，小心＿＿＿＿＿＿下山去。香蕉都在马丁的包里，他拿＿＿＿＿＿＿给大家吃。山上的风景很美，大卫让大家坐好，他给大家照了几张相。

　　休息好了，他们＿＿＿＿＿＿爬山。马丁发现了一条＿＿＿＿＿＿，要是从小路爬上去，半小时就能到＿＿＿＿＿＿。大卫建议大家走＿＿＿＿＿＿，因为走小路比较危险。大家出来玩儿，＿＿＿＿＿＿最重要。

2. 根据提示复述课文：

Retell the text according to the given structures:

　　大卫他们班同学……。爬了……，才爬到……。他们又……又……，坐在……休息一会儿。山本坐的地方……，大卫让他……，小心……。香蕉都在……，他拿……给……吃。山上的风景……，大卫让大家……，他给大家……。

　　休息好了，他们……。马丁发现了……，要是……，半个小时就能……。大卫建议大家……，因为走小路……。大家……，……最重要。

课文（二）

1. 根据课文内容填空：

Fill in the blanks according to the text:

美爱爬山的照片_____好了。拍得很好，_____都很漂亮。美爱_____得很开心。_____美爱开始锻炼以后，_____都说她变得又_____又_____。以前同学们组织_____活动，美爱很少参加。现在，_____活动她都_____参加。美爱以前总_____在宿舍，朋友很少。现在她_____了很多朋友。她还在体育馆办了一张_____卡，差不多_____都跟朋友一起打羽毛球。安妮觉得美爱的_____也变得活泼可爱了。

2. 根据提示复述课文：

Retell the text according to the given structures:

美爱爬山的照片……了。拍得……，张张都……。美爱笑得……。自从……以后，人人都说她……。以前同学们组织……，美爱……。现在，次次活动……。美爱以前总……，朋友很少。现在她……。她还在……办了一张……，差不多……都……。安妮觉得美爱的……也变得……了。

二　会话练习　Conversations

1. 介绍一下你跟你们班同学或者你跟朋友的一次户外活动。

Introduce an outdoor activity that you had with your classmates or your friends.

（提示 Clue：和谁一起？什么时候？去了哪儿？遇到了什么有意思的事?）

2. 来中国以后的生活跟你在你们国家的生活一样不一样？说说你来中国以后的变化。

Did your life change after you came to china? If you did, please describe the changes.

三 听录音做练习 Listening and Speaking Drills

我们去爬香山了

生词 New Words

香山	（专名）	Xiāng Shān	Fragrant Hill
幸运	（形）	xìngyùn	fortunate; lucky
缆车	（名）	lǎnchē	cable car
难忘	（形）	nánwàng	unforgettable; memorable

1. 听后判断正误（对的画 √，错的画 ×）：

Listen to the recording and decide whether the following statements are true or false (√ for true and × for false):

（1）秋天的香山很漂亮。　　　　　　　　　　　　　　（　　）

（2）他们班同学约好星期天早上一起去香山。　　　　　（　　）

（3）差十分九点，同学们都到了。　　　　　　　　　　（　　）

（4）他们是坐出租汽车去的香山。　　　　　　　　　　（　　）

（5）路上不堵车，他们十点多就到香山了。　　　　　　（　　）

（6）去香山游玩的有老人、孩子，还有很多年轻人。　　（　　）

（7）他们班同学有的是坐缆车上山的，有的是爬上去的。（　　）

（8）大家用了一个多小时，才爬到了山顶。　　　　　　（　　）

（9）同学们准备了很多吃的东西。　　　　　　　　　　（　　）

（10）这次爬香山是她第一次参加户外活动。　　　　　（　　）

（11）这次爬香山的活动，让她很难忘。　　　　　　　（　　）

2. 复述练习：

Retelling practice:

根据练习 1 提供的内容，说说他们这次爬香山的情况。

Tell how they "climbed the Fragrant Hill" according to the clues given in Drill 1.

四 阅读短文做练习 Reading Exercises

生词 New Words

按	（动）	àn	press
大吃一惊		dà chī yì jīng	to be greatly surprised
标准	（形）	biāozhǔn	standard

旅行趣事

　　说起那次旅行，想想就觉得有意思。

　　那是我在法国旅游的时候，有一次，我和我的朋友从外面回来，坐电梯上楼。我走进电梯，就把电梯门关上了。这时，有几个法国人很快跑过来，用手按住门，走到电梯里面来。我和朋友用英语对他们说"对不起"，他们对我们笑了笑。一个人用法语说："这个人关门真快。"我听了，笑了笑，也用法语对他们说："是啊，我关门关得太快了，刚才太对不起了。"他们大吃一惊，那个说话人的脸马上红了。

　　后来，又走进来一位老太太，她穿的衣服，样子很特别，但是不好看。我的朋友用汉语对我说："她怎么穿得这么难看！"这时候，这位老太太对我们笑了笑，用标准的汉语一字一句地说："四十多年前，我在上海的时候穿这件衣服，还是很漂亮的呢。"我的朋友不好意思地笑了，不知道说什么好。

读后判断正误(对的画√，错的画×):

Decide whether the following statements are true or false (√ for true and × for false):

（1）"我"和朋友等后面的法国人进电梯后才关门。　　　　　　（　　）

（2）"我"和朋友不会说法语，所以用英语说"对不起"。　　　　（　　）

（3）那几个法国人觉得"我"和朋友不会说法语。　　　　　　　（　　）

（4）朋友觉得老太太穿的那件衣服不好看。　　　　　　　　　（　　）

（5）老太太在中国生活过。　　　　　　　　　　　　　　　　（　　）

20 喝着啤酒看世界杯
Watch the World Cup when drinking beer

（一）喝着啤酒看世界杯

看图思考 Look and think

● 照片中跟大卫说话的人可能是谁？

● 大卫、马丁、山本他们都在做什么？

林月在大卫的宿舍跟大卫聊天儿……

Lin Yue is chatting with David in his dormitory...

林月 大卫，听说你们男生最近组织了一次足球比赛，是吗？

大卫 是啊。世界杯快开始了，大家都很兴奋，不同班级的留学生互相赛了几场。

林月 哪个班得冠军了？

大卫 我们班。对了，我们还拍了好多照片呢，你看看。

林月 这个笑着跟你说话的人是谁？

大卫 我们班的教练，他是个三年级的法国留学生。

林月 这个坐着脱袜子的好像是马丁。

大卫 是他。

林月 这个蹲着拍照的人是不是山本？

大卫 是山本，这些照片大部分都是他拍的。

林月 看你们那么兴奋，我也想看世界杯了。

大卫 你愿意不愿意跟我们男生一起看？我们已经准备好啤酒了。

林月 看世界杯跟啤酒有什么关系？

大卫 对男人来说，喝着啤酒看世界杯，是最快乐的事。

生词 New Words

❶	组织	（动）	zǔzhī	organize, form
❷	世界杯	（名）	Shìjièbēi	World Cup
	世界	（名）	shìjiè	world
❸	兴奋	（形）	xīngfèn	elated, excited
❹	不同	（形）	bùtóng	different, not the same
❺	班级	（名）	bānjí	general term for classes and grades in school
❻	说话		shuō huà	to speak, to talk, to chat
❼	教练	（名）	jiàoliàn	coach, instructor
❽	年级	（名）	niánjí	grade, year (in school, etc.)
❾	脱	（动）	tuō	to take off, to cast off
❿	袜子	（名）	wàzi	socks, stockings, hose
⓫	好像	（副）	hǎoxiàng	seem; be like
⓬	蹲	（动）	dūn	to crouch, to squat
⓭	拍照		pāi zhào	to take (a picture)
⓮	大部分		dà bùfen	the most part, majority
	部分	（名）	bùfen	part
⓯	愿意	（助动）	yuànyì	to be willing
⓰	关系	（名）	guānxi	relation, relationship
⓱	对……来说		duì……láishuō	as far as …, be concerned

回答问题 Answer the questions

1. 男生们为什么要组织足球比赛？

2. 最后哪个班得了冠军？

3. 照片上那个笑着跟大卫说话的人是谁？

4. 照片上那个坐着脱袜子的人是谁？

5. 照片上那个蹲着拍照的人是谁？

6. 那些照片大部分是谁拍的？

7. 世界杯跟啤酒有什么关系？

语言点注释　Notes on Language Points

动态助词"着3"：表示动作的伴随

The dynamic particle "着3": indicating the accompanying state of the action

这个笑着跟你说话的人是谁啊？

那个蹲着拍照的人是山本。

马丁躺着看比赛。

大卫坐着看比赛。

讲解 Explanation

"动词1+着+动词2"表示两个动作同时进行，前一个动作是后一个动作伴随的状态或进行的方式。例如：

The structure "V1+着+V2" indicates that the two actions proceed simultaneously and the first action is accompanying or going on with the second one. For example:

① 大卫站着打电话。

② 老师笑着说："你们好！"

③ 同学们坐着上课。

④ 他推着行李走出来。

⑤ 我们喝着咖啡聊天儿。

练习 Practice

用 "V+着" 完成句子：

Complete the sentences with "V+着":

（1）我喜欢＿＿＿＿咖啡听音乐。

（2）我每天下了课就＿＿＿＿自行车出去逛，了解北京人的生活。

（3）那个＿＿＿＿书包进来的人是我们班新来的学生。

（4）最好不要让小孩子＿＿＿＿看书，这样对眼睛不好。

（5）超市离学校很近，我常常＿＿＿＿去，很少骑车去。

（6）图书馆前边，＿＿＿＿跟麦克说话的那个人，就是王老师。

课文　Texts　　　　（二）法国队会越踢越好的

看图思考　Look and think

- 大卫为什么那么累？
- 山本看完比赛了吗？为什么？
- 你喜欢看世界杯足球比赛吗？你是哪个队的球迷？

大卫和山本在谈昨天晚上的世界杯比赛……

David and Yamamoto are talking about the World Cup games of last night...

山本　大卫，你的眼睛怎么这么红？昨天晚上熬夜看世界杯了吧？

大卫　我是法国队的球迷，当然要看了！你没看吗？

山本　最近忙着准备 HSK 考试，特别累。昨天晚上我躺着看比赛，没想到，看到一半就睡着了。最后比分是多少？

大卫　1 比 1。比赛快结束的时候，韩国队进了一球。

山本　是吗？我觉得上半场韩国队踢得不如法国队啊。

大卫　上半场法国队踢得不错。可是，下半场韩国队越踢越好，法国队越踢越差，我越看越着急，越看越生气。

山本　别着急，这只是法国队的第一场比赛，相信他们会越踢越好的。

大卫　希望法国队能越踢越顺利，最好能踢进决赛，再得一次冠军。

生词　New Words

①	熬夜		áo yè	to stay up late or all night
②	球迷	（名）	qiúmí	fan, ball game buff
	迷	（尾）	mí	fan, enthusiast
③	没想到		méi xiǎngdao	unexpectedly
④	睡着	（动）	shuìzháo	to fall asleep
⑤	最后	（名）	zuìhòu	in the end
⑥	比分	（名）	bǐfēn	score
⑦	进球		jìn qiú	to shoot, to goal
⑧	半场	（名）	bànchǎng	half a game
⑨	越……越……		yuè……yuè……	the more... the more...
⑩	差	（形）	chà	not up to standard, poor, inferior
⑪	相信	（动）	xiāngxìn	to believe, to trust
⑫	顺利	（形）	shùnlì	smooth, successful, without a hitch
⑬	决赛	（名）	juésài	finals, runoff, shoot-off

回答问题　Answer the questions

1. 大卫昨天晚上做什么了？
2. 大卫是哪个队的球迷？
3. 山本看完比赛了吗？为什么？
4. 昨天是哪两个队的比赛？最后的比分是多少？
5. 上半场法国队踢得怎么样？下半场呢？
6. 大卫对法国队有什么样的希望？

语言点注释　Notes on Language Points

越⋯⋯越⋯⋯

the more... the more...

下半场韩国队越踢越好。

我越看越着急，越看越生气。

你越长越高，
我越长越胖。

讲解 Explanations

"越 A 越 B"格式表示 B 随 A 的变化而变化。

The structure "越 A 越 B" indicates that B changes with A's change.

1. A 和 B 的主语相同时，有以下两种表达形式：

If A and B have the same subject, there are two expressions:

（1）越 V 越⋯⋯

The structure "越 V 越⋯⋯"

① 雨越下越大。

② 他很着急，所以越走越快。

③ 希望法国队越踢越好，越踢越顺利。

④ 我越看越着急，越看越生气。

⑤ 这本小说我越看越爱看。

（2）越 Adj 越……

The structure"越 Adj 越……"

> ① 朋友越多越好。
> ② 有人说东西越贵越好，我不同意这个说法。
> ③ 人越忙越应该注意身体。

2. A 和 B 的主语也可以不同,结构的表达形式是：

The subject of A can be different from that of B. The expression is:

> S₁ **越……**， S₂ **越……**
> ① 他 越 说， 我   越生气。
> ② 你 越 讲， 我   越不明白。
> ③ 东西越 好， 买的人越多。

 ## 注意 Note

"越……越……"已经有表示程度的意思，所以后面不再加"很"、"十分"、"非常"等程度副词。例如：

"越……越……" indicates degree, so it can't be followed by degree adverbs such as "很", "十分" and "非常". For example:

> ① 他们两个人越聊越很高兴。 ✕
> ② 我越走越非常累。   ✕

练习 Practice

用"越……越……"完成句子：

Complete the sentences with "越……越……"：

（1）我觉得汉语＿＿＿＿＿＿＿＿＿＿＿。

（2）你听，外面的风＿＿＿＿＿＿＿＿＿＿＿。

（3）这首歌很好听，＿＿＿＿＿＿＿＿＿＿＿。

（4）跑在最前面的人是麦克，他＿＿＿＿＿＿＿＿＿＿，最后得了冠军。

（5）我开始看这本书的时候，觉得没意思，没想到现在＿＿＿＿＿＿＿＿＿＿。

（6）我喜欢交朋友，我觉得朋友＿＿＿＿＿＿＿＿＿＿。

（7）我不喜欢别人说我，他越说我，＿＿＿＿＿＿＿＿＿＿。

Comprehensive Exercises
综合练习

一 复述练习 Retelling

课文（一）

1. 根据课文内容填空：

Fill in the blanks according to the text:

大卫他们男生最近组织了一次足球比赛。因为_____快开始了，大家都很_____，所以不同班级的留学生_____赛了几场。最后大卫他们班得了冠军。

林月在大卫宿舍看到了一张比赛的照片。照片上那个_____跟大卫说话的人是他们班的_____，他是个三年级的法国留学生。那个坐着_____袜子的人是马丁。那个_____拍照的人是山本，比赛的照片_____是他拍的。

大卫邀请林月跟他们男生一起看世界杯。他们已经_____好啤酒了。对男人_____，喝着啤酒看世界杯是最快乐的事。

2. 根据提示复述课文：

Retell the text according to the given structures:

大卫他们男生最近组织了……。因为……快……了，大家都很……，所以不同……互相……。最后大卫他们班……。

林月在……看到了……。照片上那个……的人，是他们班的……，他是……。那个……的人是马丁。那个……的人是山本，……大部分……。

大卫邀请林月跟……一起……。他们已经……了。对……来说，……是最快乐的事。

课文（二）

1. 根据课文内容填空：

Fill in the blanks according to the text:

　　昨天晚上，大卫_____看完了法国队和韩国队的比赛。山本躺着看比赛，看到一半就_____了。大卫告诉山本，最后的_____是1比1。比赛快结束的时候，韩国队_____了一球。

　　这场比赛，_____法国队踢得不错，可是下半场韩国队_____踢_____好，法国队越踢越_____，大卫越看越_____，越看越_____。因为大卫是法国队的_____，所以他_____法国队能越踢越_____，一直踢进_____，再得一次冠军。

2. 根据提示复述课文：

Retell the text according to the given structures:

　　昨天晚上，大卫熬夜……。山本躺着……，看到……就……了。大卫告诉山本，最后的……是……。比赛快……的时候，韩国队……。

　　这场比赛，上半场法国队……，可是下半场韩国队越……越……，法国队越……越……。大卫越……越……，越……越……。因为大卫是……，所以他希望法国队能越……越……，一直……，再得……。

二　会话练习　Conversations

看图说话：

Look and say:

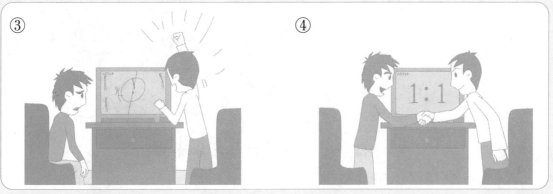

三 听录音做练习 Listening and Speaking Drills

（一）没准儿他也是个球迷呢

生词 New Words

西装	（名）	xīzhuāng	suit; Western-style clothes
认真	（形）	rènzhēn	conscientious; earnest; serious
理解	（动）	lǐjiě	to understand; to comprehend

听后回答问题：

Answer the questions after listening:

（1）那个站着跟马丁说话的人是谁？

（2）王老师什么样？

（3）大卫喜欢上王老师的课吗？为什么？

（4）大卫上次为什么在王老师的课上坐着睡着了？

（5）王老师生气了没有？为什么？

（二）在中国看世界杯

生词 New Words

球场	（名）	qiúchǎng	ground or court for ball games
难忘	（形）	nánwàng	unforgettable; memorable
批评	（动）	pīpíng	to criticize

听后判断正误(对的画 √，错的画 ×)：

Listen to the recording and decide whether the following statements are true or false (√ for true and × for false):

（1）大卫喜欢踢足球，也喜欢看足球比赛。　　　　　　　　（　　）

（2）大卫参加了"小世界杯"足球比赛，还进了球。　　　　（　　）

（3）大卫他们班的足球队得了"小世界杯"足球赛的冠军。（　　）

（4）法国队一直踢得很好，进入了决赛。　　　　　　　　　（　　）

（5）要是想看法国队的比赛，就必须熬夜。　　　　　　　　（　　）

（6）老师同意大卫上课睡觉。　　　　　　　　　　　　　　　（　　）

四 阅读短文做练习　Reading Exercises

生词 New Words

精彩	（形）	jīngcǎi	splendid, wonderful
自豪	（形）	zìháo	to be proud of, to take pride in
讨论	（动）	tǎolùn	to discuss, to talk over
喇叭	（名）	lǎba	trumpet
友好	（形）	yǒuhǎo	friendly, amicable
问好		wèn hǎo	to send one's regards to, to say hello to
深	（形）	shēn	deep
印象	（名）	yìnxiàng	impression

　　球迷，是一群很特别的人。足球比赛如果没有球迷参加，比赛就不会那么精彩。世界各地的球迷是不一样的，和他们在一起，是一件非常有意思的事。

　　德国的球迷总是很多人在一起活动，他们为自己是德国球迷感到自豪。要是听到有人说德国队不好，德国球迷一定特别生气。

　　英国球迷在世界上非常有名，他们很爱自己的球队。一次，我在火车上遇到了一些英国球迷，他们一上车就开始讨论下午那场比赛，他们要怎样给自己的国家加油。我和几个英国球迷坐在一起，谈论英国的足球，很快就像老朋友一样了。我发现他们穿得很随便，吃得也很简单，但是他们可以把自己所有的钱都拿去买门票和球队的队旗。

美国的球迷在比赛场上总是很认真地为美国队加油。虽然美国队输的时候多，但是对他们的心情没有太大的影响，比赛一完，他们就去旅游了。看来，美国球迷对旅游的兴趣比对足球的兴趣更大。

在亚洲的球迷中，西亚人是最热情的。他们经常和球队一起去比赛的地方，在德国、法国、韩国、日本，都可以看到他们。日本的球迷也很有意思。他们总是带着一种小喇叭，差不多每人一个，准备在比赛时为自己的球员加油。这些球迷大多数都是 20 岁左右的年轻人，他们中间有很多是女孩子，她们非常有礼貌，常常会友好地向球员问好，给人留下很深的印象。

读后判断正误(对的画√，错的画×)：

Decide whether the following statements are true or false (√ for true and × for false):

(1) 没有球迷参加的比赛可能更有意思。　　　　　　　　　（　　）

(2) 德国的球迷不喜欢听别人说德国队不好。　　　　　　　（　　）

(3) 英国球迷不愿意跟别人谈论他们国家的球队。　　　　　（　　）

(4) 美国的球迷觉得旅行比看比赛更重要。　　　　　　　　（　　）

(5) 亚洲的球迷都很有钱，可以经常跟球队一起去比赛的地方，为
　　　球队加油。　　　　　　　　　　　　　　　　　　　（　　）

(6) 日本的球迷中有很多女孩子，她们对人很有礼貌。　　　（　　）

第六单元　娱乐 文化
Unit Six　Entertainment and Culture

课号 Lesson	题目 Title	话题 Topic	语言点 Language Points
21	把啤酒倒满，干杯	圣诞晚会 Christmas party	1. "把"字句 3：把+O+V+结果补语 The 把-sentence 3: 把+O+V+Resultative Complement 2. "把"字句 4：把+O+V+趋向补语 The 把-sentence 4: 把+O+V+Directional Complement 3. "把"字句 5：把+O+V+其他成分 The 把-sentence 5: 把+O+V+Other Elements
22	听不懂没关系	看中国电影 To see a Chinese film	1. 可能补语 The probable complement 2. V+得/不+了 The structure "V+得/不+了"
23	我的车被撞坏了	骑车 To ride a bike 胡同 Bystreet	1. "被"字句 The 被-sentence 2. 一+量词+比+一+量词+形 一+Measure Word+比+一+Measure Word+Adj
24	除了山本以外， 大家都去	京剧 Beijing opera 告别 To bid farewell to	1. 除了……以外，…… The structure "除了……以外，……" 2. 不是……吗 The structure "不是……吗"

21 把啤酒倒满，干杯
Fill the glass with beer and drink a toast

（一）把啤酒倒满，干杯

看图思考 Look and think

- 从图片上看，现在要过什么节了？
- 大卫和安妮可能为什么事干杯？
- 你们国家最重要的节日是什么节？
- 你知道中国最重要的节日是什么节吗？

安妮和大卫走进学校附近的一家酒吧……

Annie and David walked into a bar near the school...

安妮　大卫，那儿有人刚走，咱们坐那儿吧。

大卫　小姐，请把桌子擦干净，把空酒瓶拿走。安妮，你喝点儿什么？

安妮　喝啤酒吧。

大卫　好。小姐，来两瓶啤酒。……请把瓶盖儿打开。

安妮　你看，那边放着一棵圣诞树！中国人也过圣诞节了。

大卫　过圣诞节的一般是年轻人。中国最重要的节日是春节，过春节的时候，家家都贴春联，放鞭炮，热闹极了。

115

安妮 听说中国的春节和我们的圣诞节一样，全家人要在一起过。

这个圣诞节不能回家，我挺想家的。

大卫 把同学们叫到我家，咱们举行一个圣诞晚会，你看怎么样？

安妮 好主意！

大卫 明天我把房子打扫干净，把房间布置好。

安妮 我过去帮你吧。

大卫 行！来，把酒杯倒满，为圣诞晚会干杯！

生词 New Words

①	擦	（动）	cā	to rub
②	空	（形）	kōng	unoccupied; empty
③	盖儿	（名）	gàir	lid, cover
④	棵	（量）	kē	*a measure word used for trees, cabbages, etc.*
⑤	圣诞	（名）	Shèngdàn	birthday of Jesus Christ, Christmas
⑥	圣诞节	（名）	Shèngdàn Jié	Christmas
⑦	年轻	（形）	niánqīng	young
⑧	节日	（名）	jiérì	festival
⑨	春节	（名）	Chūn Jié	Spring Festival (Chinese New Year)
⑩	春联	（名）	chūnlián	Spring Festival couplets
⑪	放	（动）	fàng	to set or let off; to give out
⑫	鞭炮	（名）	biānpào	firecrackers; string of small firecrackers
⑬	举行	（动）	jǔxíng	to hold (a meeting, a contest, etc.)
⑭	打扫	（动）	dǎsǎo	to clean, to sweep
⑮	布置	（动）	bùzhì	to arrange, to fix up, to decorate
⑯	满	（形）	mǎn	full, filled, complete
⑰	为	（介）	wèi	for the purpose of, for the sake of
⑱	干杯		gān bēi	to drink a toast, Cheers!, Bottoms up!

回答问题 Answer the questions

1. 大卫让服务员小姐做什么？

2. 中国人都过圣诞节吗？

3. 中国最重要的节日是什么节？

4. 过春节的时候，中国人常常做什么？

5. 大卫他们打算怎么过今年的圣诞节？

6. 明天大卫要做什么？安妮呢？

7. 现在他们为什么事干杯？

语言点注释　Notes on Language Points

> **"把"字句3：把+O+V+结果补语**
> The把-sentence 3:
> 把+O+V+Resultative Complement
> 请把桌子擦干净，把空酒瓶拿走。
> 明天我把房子打扫干净，把房间布置好。

他喝啤酒。　　他把啤酒喝完了。

讲解 Explanation

　　在汉语中，如果强调动作使某个确指的事物产生结果，可以用"把"字句表达。例如：

In Chinese, the 把-sentence may be used to emphasize that an action can cause something to happen. For example:

S	P			
	把 + O +	V +	Resultative Complement	
服务员小姐	把 桌子	打扫	干净	了。
她	没 把 房间	布置	好。	
你	把 空调	打	开	吧。
大卫	已经 把 作业	做	完	了。

练习 Practice

1. 把下面的句子改成"把"字句：

Rewrite the following sentences into 把-sentences:

（1）吃饭以前要洗干净手。

（2）大卫布置好了房间。

（3）房间里太闷了，关上空调，打开窗户吧。

（4）我没有做完作业。

（5）我写错了他的电话号码。

2. 用"把"字句完成下面的句子：

Complete the following sentences with 把-sentences：

（1）房间里太热了，_____，好吗？

（2）小姐，桌子上有几个空酒瓶，请_____。

（3）今天的作业不难，我半个小时就_____。

（4）A：我过一会儿去帮你打扫房间吧。

　　B：不用了，我已经_____。

（5）天冷了，很多人都穿大衣了，你也_____吧。

课文 Texts （二）我已经把东西都买来了

看图思考 **Look and think**

- 大卫和安妮在做什么？
- 他们是怎么布置房间的？
- 我们一般什么时候需要像他们那样布置房间？

安妮来到大卫的房间……
Annie came to David's room...

安妮 大卫，你把房间打扫得真干净啊！

大卫 我已经把东西都买来了，咱们开始布置房间吧。

安妮 行！让我做什么？

大卫 先帮我把墙上的世界地图拿下来，再把这幅画儿挂上去。

安妮 挂好了。这画儿真漂亮！

大卫 那个纸袋子里有各种颜色的气球。把气球都拿出来，吹好，挂到墙上去。

安妮 气球全都挂上去了！

大卫 再帮我把桌子从厨房里抬出来。把冰箱里的水果洗一洗，摆到桌子上。

安妮　水果都摆好了。还要做什么？

大卫　哎呀，还没买饮料呢，我差点儿把这事儿忘了。

安妮　刚才我路过超市，买了点儿饮料来。你看，够不够？

大卫　够了，把它们也摆到桌子上去吧。

安妮　好。你看，把屋子这么布置一下，又干净又整齐，很有节日的气氛！

大卫　可不是！

生词　New Words

❶	幅	（量）	fú	a measure word used for cloth, pictures, scrolls, etc.
❷	挂	（动）	guà	to hang, to put up
❸	袋子	（名）	dàizi	bag, sack, pocket
❹	各种		gè zhǒng	every kind of, all kinds of, various
	各	（代）	gè	each
❺	气球	（名）	qìqiú	balloon
❻	吹	（动）	chuī	to blow, to puff
❼	抬	（动）	tái	to lift, to raise, to carry (by two or more persons)
❽	冰箱	（名）	bīngxiāng	refrigerator
❾	摆	（动）	bǎi	to put, to place
❿	路过	（动）	lùguò	to pass by or through (a place)
⓫	够	（动）	gòu	enough; sufficient; adequate
⓬	整齐	（形）	zhěngqí	in good order, neat, tidy
⓭	气氛	（名）	qìfēn	atmosphere, air

回答问题　Answer the questions

1. 安妮来的时候，大卫的房间收拾得怎么样了？

2. 大卫让安妮帮他做的第一件事是什么？

3. 气球在哪儿？他们怎么用气球布置房间？

4. 大卫的桌子原来在哪儿？现在呢？

5. 大卫让安妮把水果放在哪儿？

6. 大卫差点儿把什么事忘了？

7. 安妮在哪儿买的饮料？

8. 安妮买的饮料够不够？

9. 他们把房间布置得怎么样？

语言点注释　Notes on Language Points

1. "把"字句 4：把+O+V+趋向补语

The 把-sentence 4:

把+O+V+Directional Complement

帮我把墙上的世界地图拿下来，把这幅画儿挂上去。

帮我把桌子从厨房里抬出来。

2. "把"字句 5：把+O+V+其他成分

The 把-sentence 5:

把+O+V+Other Elements

我明天把房间布置一下。

把冰箱里的水果洗一洗。

哥哥，请你帮我把球拿下来。

好！

1. "把"字句 4：把+O+V+趋向补语

The 把-sentence 4: 把+O+V+Directional Complement

讲解 Explanation

在汉语中，如果强调动作使某个确指事物的位置发生了移动，可以用"把"字句。这时，动词后边常有趋向补语。例如：

In Chinese, the 把-sentence may be used to emphasize that an action can make something to move. In this case, the verb is often followed by a directional complement. For example:

S			P			
	把 + O	+	V + Directional Complement			
大卫	没 把 词典		带			来。
你	把 这本书	给他	带			去。
同学们	都 把 书		拿	出		来 了。
他	已经 把 箱子		搬	上 楼		来 了。
	请 把 果皮		扔	进 垃圾桶里		去。

2. "把"字句 5：把+O+V+其他成分

The 把-sentence 5: 把+O+V+Other Elements

 讲解　Explanation

"把"字句中动词后边的成分，除了"在"、"到"、"给"、"成"，结果补语和趋向补语（来/去）以外，还有其他一些成分，强调动作对宾语的处置。例如：

Besides the words "在", "到", "给" and "成", the resultative complement and the directional complement（来/去）, there are other elements after the verb in 把-sentence to emphasize the disposition of the object. For example:

把 + O + V + Other Elements	
把+O+V+了	你差点儿把这件事忘了。 谁把啤酒喝了？
把+O+V(一/了)V	把我买的水果洗一洗。 我们一起把房间打扫了打扫。
把+O+V+Degree Complement	你把房间收拾得真整齐啊！ 他把这件事忘得一干二净。
把+O+V+Verbal Measure Complement	我明天把房间布置一下。 帮我把自行车修一下。

总结 Summary

"把"字句的语法特点

The grammatical characteristics of the 把-sentence

（1）汉语中，有些句子可以用"把"字句，也可以不用"把"字句，但是表达的意义有差别。比较：

In some sentences, "把" may be used or may not, but their meanings in the two cases are different. Please compare:

> ① 我已经布置好房间了。
>
> 　 我已经把房间布置好了。
>
> ② 他从书包里拿出来一支笔。
>
> 　 他把笔从书包里拿出来。

不用"把"的句子只是叙述进行的动作，而用"把"的句子则强调动作对宾语的处置，说明通过动作使事物发生了变化，语气比较强。

The sentence without "把" only means that the action is going on, while the one with "把" emphasizes the disposition of the object to explain the change of the thing by the action. It is in a stronger tone.

（2）"把"的宾语作为动词涉及的对象，必须是特指的或已知的。比较：

For the object that the verb touches upon, the object of the 把-sentence must be something that is specified or known. Please compare:

> ① 我把那本书放在桌子上了。　　√
>
> 　 我把一本书放在桌子上了。　　✕
>
> ② 我把昨天的作业交给老师了。　√
>
> 　 我把一天的作业交给老师了。　✕

有时候宾语前虽然没有"这"、"那"或定语等明确的标记，但是在说话人的心目中宾语是已经确定的，听话人也很清楚说话人所指。例如：

Sometimes, there is no specific word such as "这", "那" or other attributives, but the object is clear for both the speaker and the listener. For example:

> A：我的词典在哪儿呢？
>
> B：我把词典放在桌子上了，你自己来拿吧。

（3）"把"字句中主要的动词必须能让宾语产生位置移动或情态变化。所以，一些不能让宾语产生位置移动或情感变化的动词不能用于"把"字句。例如：是、有、在、姓、喜欢、知道、觉得等等。如：

It is a must that the main verb in the 把-sentence can make the object change in the position or the mood. So when verbs can not make the object change in the position or the mood, "把" can not be used in these sentences. Such as "是，有，在，姓，喜欢，知道，觉得"，etc. For example:

> ① 我把他喜欢。　　　✗
>
> ② 他把这本书有了。　✗

（4）"把"字句的动词后边，必须带有其他成分，如补语、动态助词"了"、动词重叠等，说明动作的影响或结果。比较：

The verb in the 把-sentence must be followed by other elements such as the complement, the dynamic particle "了" and the duplicated verb to explain the effect or the result of the action. Please compare:

> 她把照片寄给妈妈了。　√
>
> 她把照片寄。　　　　　✗

（5）副词、能愿动词或表示时间的状语，必须放在"把"的前边，不能放在动词的前边。例如：

The adverb, modal verb or the adverbial denoting time must be put before "把" and can not be put before the verb. For example:

> ① 我没把自行车停在楼下。　√
>
> 　 我把自行车没停在楼下。　✗
>
> ② 我要把桌子搬到楼下去。　√
>
> 　 我把桌子要搬到楼下去。　✗
>
> ③ 我明天把作业交给老师。　√
>
> 　 我把作业明天交给老师。　✗

练习 Practice

1. 用"把"字句改写句子：

Rewrite the sentences with 把-sentences:

（1）你要的书我已经买回来了。

（2）门后边的那张桌子，你可以帮我搬过来吗？

（3）那张光盘我已经放进 CD 机里去了。

（4）大卫从书包里拿出来汉英词典。

（5）晚上我想预习预习明天的生词。

（6）老师，请你帮我看一下昨天的作业。

2. 改病句：

Correct the sentences:

（1）他把房间没收拾干净。

（2）我很早就把书法喜欢。

（3）大卫把一本书从书包里拿出来。

（4）妈妈把衣服洗。

Comprehensive Exercises

综合练习

一 复述练习 Retelling

课文（一）

1. 根据课文内容填空：

Fill in the blanks according to the text:

大卫和安妮去酒吧，大卫让小姐把桌子_____干净，把_____酒瓶拿走。大卫点了两瓶啤酒，他让小姐把_____打开，他们边喝边聊。

快到圣诞节了，酒吧里放着一_____圣诞树。在中国，一般是_____人过圣诞节。中国最重要的_____是春节。过春节的时候，家家都贴_____，放_____，热闹极了。

圣诞节的时候，大卫打算把同学们叫到他家，_____一个圣诞晚会。他明天要把房子_____干净，把房间_____好。安妮也要过去帮忙。现在，他们把酒杯倒_____了，为圣诞晚会_____。

2. 根据提示复述课文：

Retell the text according to the given structures:

大卫和安妮去……，大卫让……把桌子……，把……拿走。大卫点了……，他让小姐……，他们边喝边聊。

快到……了，酒吧里放着……。在中国，一般是……过……。中国最重要的……是……。过春节的时候，家家都贴……，放……，……极了。

圣诞节的时候，大卫打算把……叫到……，举行……。他明天要把房子……，把房间……。安妮也要……。现在，他们把酒杯……了，为……干杯。

课文（二）

1. 根据课文内容填空：

Fill in the blanks according to the text:

大卫把房间＿＿＿＿得很干净。安妮来了以后，他们开始布置房间。他们先把墙上的世界地图＿＿＿＿，然后把画儿＿＿＿＿上去。袋子里有＿＿＿＿颜色的气球，安妮把它们都拿出来，＿＿＿＿好，挂到墙上去了。大卫让安妮帮他把桌子从厨房里＿＿＿＿出来，把＿＿＿＿里的水果洗一洗，＿＿＿＿到桌子上。刚才，安妮＿＿＿＿超市，买了点儿饮料来，也摆到桌子上了。他们把房间这么布置一下，又干净又＿＿＿＿，很有节日的＿＿＿＿。

2. 根据提示复述课文：

Retell the text according to the given structures:

大卫把……收拾……。安妮来了以后，他们开始……。他们先把……世界地图……，然后把画儿……。袋子里有……，安妮把它们……，吹……，挂……。大卫让……帮他把桌子……，把……洗一洗，摆在……。刚才，安妮路过……，买了……来，也摆到……了。他们把房间……，又……又……，很有……。

二 会话练习 Conversations

用"把"字句完成下面的话题：

Complete the following topics with 把-sentences:

1. 下课以后回宿舍，要做哪些事？

What will you do when going back to your dormitory after class?

（提示 clue：拿钥匙、开门、开灯、脱掉大衣、打开窗户……）

2. 晚上大卫在家要举行一个圣诞晚会，他买了很多东西回来，请你帮助他布置一下房间。这些东西有：

David is going to have a Christmas party in the evening and he bought a lot of things. Please help him decorate his room. The things are as follows:

圣诞树　　气球　　彩灯　　风景画　　一束鲜花　　饮料　　水果　　音乐 CD

三　听录音做练习　Listening and Speaking Drills

（一）在中国过春节

生词　New Words

除夕	（名）	chúxī	New Year's Eve
老板	（名）	lǎobǎn	boss; shopkeeper
感情	（名）	gǎnqíng	feelings
友好	（形）	yǒuhǎo	friendly

1. 听后回答问题：

Answer the questions after listening:

（1）安娜第一次在中国过春节是什么时候？是在哪儿过的？

（2）当地人对安娜她们怎么样？

（3）除夕的晚上，安娜她们是在哪儿过的？

（4）除夕晚上一起吃饭的人多吗？大概有哪些人？

（5）晚饭以后，安娜她们做了些什么？

（6）以前安娜对春节了解吗？为什么？

（7）现在安娜对中国的春节有什么看法？

2. 听后说：

Listen and say:

谈谈你对"春节"的了解。

Talk about what you know about the Spring Festival.

（二）快到圣诞节了

生词　New Word

交换	（动）	jiāohuàn	to exchange, interchange

1. 听后判断正误(对的画 √，错的画 ×)：

Listen to the recording and decide whether the following statements are true or false
(√ for true and × for false):

(1) 快过圣诞节了，商店里布置得很有节日的气氛。　　　（　　）

(2) 不是每个中国人都过圣诞节。　　　（　　）

(3) 安妮和大卫以前没在中国过过圣诞节。　　　（　　）

(4) 大卫忙着准备期末考试，他不愿意参加圣诞晚会。　　　（　　）

(5) 圣诞晚会25号晚上七点开始。　　　（　　）

(6) 去参加圣诞晚会的人都要准备一份四十块钱左右的礼物。　　　（　　）

(7) 大卫会帮助安妮把房间布置好。　　　（　　）

2. 听后说：

Listen and say:

说说你们国家圣诞节的习俗。

Talk about the customs on Christmas in your country.

四 阅读短文做练习 **Reading Exercises**

生词 New Words

农历	（名）	nónglì	Chinese lunar calendar
传统	（名、形）	chuántǒng	tradition; traditional
庆祝	（动）	qìngzhù	to celebrate
除夕	（名）	chúxī	New Year's Eve
祝福	（名、动）	zhùfú	blessing; to wish
亲戚	（名）	qīnqi	relative
拜年		bài nián	to send New Year's greetings
吉利	（形）	jílì	lucky; fortunate
长辈	（名）	zhǎngbèi	person of the elder generation
晚辈	（名）	wǎnbèi	younger generation

中国的传统节日——春节

　　春节是中国的农历新年，是中国最大的传统节日，已经有几千年的历史了。在中国，庆祝春节的活动有很多。

　　春节以前，人们要把家里打扫得干干净净。家家要买各种过年吃的和用的的东西，在外地工作的人一般都要回家。

　　农历12月30，也叫除夕，很多人家的门口都贴着红色的春联，春联上写着一些祝福的话。晚上一家人在一起吃年夜饭，晚饭以后，一家人一起送旧年，迎新年。

　　在新的一年到来的时候，家家户户做的第一件事，就是放鞭炮。噼噼啪啪的鞭炮声，可以增添节日欢乐、热闹的气氛。特别是孩子们，在这个时候，更是高兴极了。

　　新年的第一天，人们都早早起床，穿上漂亮的衣服，去亲戚、朋友家拜年。拜年的时候要说"新年好"、"万事如意"、"身体健康"、"工作顺利"、"学习进步"这样的吉利话。现在，大家的工作都很忙，住的地方距离也比较远，所以越来越多的人开始用电话拜年。

　　去长辈家拜年，长辈们常常拿出准备好的"压岁钱"给晚辈，给"压岁钱"的意思是希望晚辈在新的一年里能平平安安。

读后回答问题：

Answer the questions after reading:

（1）春节是一个什么样的节日？

（2）春节以前，人们一般要做什么？

（3）"除夕"是农历几月初几？

（4）除夕那天人们一般做什么？

（5）人们在新年到来时要做的第一件事是什么？

（6）谁最喜欢放鞭炮？

（7）拜年的时候要说吉利话，"吉利"是什么意思？

（8）现在人们常常怎么拜年？为什么？

（9）拜年的时候，长辈为什么要给晚辈压岁钱？

（10）在中国，长辈一般什么时候给晚辈压岁钱？

22

听不懂没关系
It doesn't matter if you do not understand

课文 Texts （一）听不懂没关系

听得懂吗？

没问题……

买得到前面的票吗？

六点以前回得来吗？

《英雄》
近期强档电影

看图思考 Look and think

- 麦克和大卫今天可能去做什么？
- 想一想，麦克可能怎么回答大卫的问题？
- 来中国以后，你去电影院看过中国电影吗？

麦克在看报纸上的电影广告……

Michael is reading the movie advertisement in the newspaper...

麦克 大卫，晚上我请你看电影！报纸上说，电影院正在放《英雄》，这是一部有名的功夫片。

大卫 去电影院看电影？咱们听得懂吗？

麦克 听不懂没关系，有英文字幕啊。

大卫 好吧。不过我有点儿近视，如果座位太远，我看不清楚。

麦克 咱们看下午的吧。白天看电影的人少，应该买得到前几排的票。

大卫 我跟安妮约好六点半一起吃晚饭，六点以前咱们回得来回不来？

麦克 放心吧，下午三点的电影，六点以前肯定能回来。

大卫　三点的电影？现在已经两点半了，来不及了吧？

麦克　来得及，骑车二十分钟，打的不到十分钟就到了。咱们打的

　　　去吧。

大卫　晚上堵车，我担心六点以前赶不回来，还是骑车去吧。

在电影院里……

At the cinema...

麦克　劳驾，我们的座位在里面，过不去，请让一下。谢谢！

生词　New Words

❶	报纸	（名）	bàozhǐ	newspaper
❷	电影院	（名）	diànyǐngyuàn	cinema, movie theater
❸	放	（动）	fàng	to show, to play, to turn on
❹	英雄	（名）	yīngxióng	hero
❺	部	（量）	bù	*a measure word for books, films, machines, etc.*
❻	功夫片	（名）	gōngfupiānr	kong fu movie
	功夫	（名）	gōngfu	kong fu, skill of Chinese boxing and sword play
❼	字幕	（名）	zìmù	caption, subtitle
❽	近视	（形）	jìnshì	short-sighted
❾	座位	（名）	zuòwèi	place to sit, seat
❿	排	（名）	pái	line, row
⓫	放心		fàng xīn	to set one's heart at rest, to feel relieved
⓬	来不及	（动）	láibují	to be too late to do sth.; there's not enough time (to do sth.)
⓭	担心		dān xīn	to worry, to feel anxious, to be anxious about
⓮	劳驾	（动）	láojià	Excuse me, May I trouble you? Would you please...
⓯	让	（动）	ràng	to give way, to give ground

 **22**

回答问题 **Answer the questions**

1. 麦克请大卫看什么电影？

2. 去电影院看电影，大卫担心什么？

3. 要是他们听不懂，怎么办？

4. 大卫为什么要买前几排的票？

5. 他们要买什么时候的电影票？为什么？

6. 晚上大卫要做什么？他想几点回来？

7. 他们打算怎么去电影院？为什么？

8. 六点以前，他们回得来吗？为什么？

语言点注释 **Notes on Language Points**

可能补语

The probable complement

我有点儿近视，如果座位太远，我看不清楚。

下午三点的电影，六点以前应该回得来。

讲解 Explanations

1. 可能补语可以表示主观条件（能力）或者客观条件是否允许实现某种结果或达到某个目的。带可能补语的结构形式如下：

The probable complement may indicate whether the subjective conditions (ability) or the objective conditions allow some result or some purpose to be achieved. The construction with the probable complement is as follows:

		V + 得 + Result Complement Directional Complement		
肯定形式 affirmative sentence	我已经学了两年汉语了，现在	看　得	懂	中国电影。
	今天的作业不多，一个小时	做　得	完。	
	电影四点半就结束了，六点以前我	回　得		来。
	这座山不高，我们	爬　得		上去。
		V + 不 + Result Complement Directional Complement		
否定形式 negative sentence	我只学了三个月汉语，现在还	看　不	懂	中国电影。
	今天的作业很多，一个小时	做　不	完。	
	电影五点半才结束，六点以前我	回　不		来。
	这座山太高了，我们可能	爬　不		上去。

2. 动词带可能补语的正反疑问形式是"V+得+结果补语+V+不+结果补语"或"V+得+趋向补语+V+不+趋向补语"。例如：

The affirmative-negative question form of the verb with the probable complement is "V+得+Resultative Complement+V+不+Resultative Complement" or "V+得+Directional Complement+V+不+Directional Complement". For example:

① A：老师讲的语法你听得懂听不懂？
　 B：我听得懂。/我听不懂。
② A：晚饭前你回得来回不来？
　 B：我回得来。/我回不来。

3. 动词带宾语时，宾语放在可能补语的后边。如果宾语比较长，可以把宾语放在句首，但不能放在动词和可能补语中间。比较：

If the verb has its object, the object should be put after the probable complement. If the object is relatively long, it may be put at the beginning of the clause, but it can not be put between the verb and the probable complement. Please compare:

天太黑了，我看不清楚墙上的字。√
天太黑了，墙上的字我看不清楚。√
天太黑了，我看墙上的字不清楚。×

比较 Compare

可能补语和能愿动词"能"、"可以"

The probable complement and the modal verbs "can" and "may"

（1）可能补语表示行为者有能力进行某个动作，从而达到某种结果。"能"和"可以"也可以表示这个意思。例如：

The probable complement indicates that the doer has the ability to do something and accordingly achieve some result. "能" and "可以" can also indicate such a meaning. For example:

> 今天的作业不多，半个小时做得完。 √
>
> 今天的作业不多，半个小时能(可以)做完。 √

（2）表示"情理上许可不许可"、"准许不准许"的意思时，一般用"能"或"不能"，不能用可能补语。例如：

Generally, it is not the probable complement but "能" or "不能" that is used to indicate permission or allowance. For example:

> 外面很冷，你又在发烧，不能(可以)出去。 √
>
> 外面很冷，你又在发烧，出不去。 ×

练习 Practice

1. 用"动词+可能补语"完成句子：

Fill in the blanks with "V+Probable Complement":

（1）你说话的声音太小了，我_____。

（2）我没戴眼镜，_____黑板上的字。

（3）门太小了，那辆大汽车_____。

（4）提前几天去买火车票，一定_____。

（5）车上的人太多了，咱们_____，等下一辆车吧。

（6）今天点的菜不多，咱们_____。

（7）他的家很好找，我去一定_____。

（8）这座山不高，我们_____。

2. 把下面的疑问句改成带可能补语的疑问句，并回答。

Rewrite the following questions into the ones with the probable complement and then answer them.

（1）今天的语法有点儿难，你能听懂吗？

（2）一个晚上能学会这首英文歌吗？

（3）你的自行车一个下午能修好吗？

（4）晚饭前你能回来吗？

（5）一个小时你能做完今天的作业吗？

（6）你点了这么多菜，一个人能吃完吗？

（7）明天六点半就出发了，你能起来吗？

课文 Texts （二）花不了太多钱

看图思考 Look and think

- 山本和大卫今天能出去运动吗？为什么？
- 大卫可能做什么？你觉得大卫喜欢什么样的电影？
- 天气不好的时候，你在宿舍一般做什么？

周末，大卫在宿舍楼里碰到山本……

At a weekend, David ran into Yamamoto in the dormitory building...

大卫 雨下得真够大的！看来今天踢不了足球了。

山本 是啊，我原来计划今天去爬山，现在也去不了了。

大卫 真无聊！雨不停，只能在宿舍看电视了。

山本 我昨天买了几张电影光盘，你想看吗？

大卫 我看看……这些电影我都不太喜欢，我喜欢中国功夫，喜欢看功夫片。

山本 这个抽屉里还有许多光盘呢，里面有不少功夫片，你自己翻翻吧。

大卫 你怎么有这么多光盘啊？

山本 我将来想研究电影，所以很注意购买、收集电影光盘。

大卫　你每个月买光盘要花不少钱吧？

山本　花不了太多钱。比去电影院省钱多了，还能反复看。

大卫　我先借这几张吧，明天还你。

山本　一天的时间，你看得了这么多吗？不着急还，慢慢看吧。

生词　New Words

①	够……的	gòu……de	reaching a certain point or to a certain extent
②	了	（动）	liǎo	*a verb used to express the possibility*
③	计划	（动、名）	jìhuà	to make a plan; plan, project, program
④	抽屉	（名）	chōuti	drawer
⑤	许多	（数）	xǔduō	many, much, a lot of
⑥	翻	（动）	fān	to rummage, to search, to turn (over, upside down, inside out, etc.)
⑦	将来	（名）	jiānglái	future
⑧	研究	（动）	yánjiū	to study, to research
⑨	注意	（动）	zhùyì	to pay attention to, to keep one's eyes on
⑩	购买	（动）	gòumǎi	to buy, to purchase
⑪	收集	（动）	shōují	to collect, to gather
⑫	省	（动）	shěng	to save, to economize
⑬	反复	（副）	fǎnfù	repeatedly, again and again

回答问题　Answer the questions

1. 大卫和山本原来打算做什么？现在呢？为什么？

2. 大卫今天在宿舍做什么？

3. 大卫喜欢看什么电影？

4. 山本为什么有那么多电影光盘？

5. 山本觉得买光盘好还是去电影院看电影好？为什么？

6. 大卫借山本的光盘了吗？山本让他什么时候还？为什么？

语言点注释 Notes on Language Points

V+得/不+了
The structure "V+得/不+了"

下雨了，踢不了足球了。

一天的时间，你看得了这么多光盘吗？

我牙疼，吃不了甜的。

我一个人吃不了这么多水果。

讲解 Explanations

1. "V+得/不+了"中，"了"常常表示动作行为能不能完成、实现。例如：

In the construction "V+得/不+了", "了" often indicates whether some action can be accomplished. For example:

① A：玛丽的生日晚会，你去得了吗？

B：晚上我有事，恐怕去不了了。

② 大卫今天病得很厉害，上不了课了。

2. "V+得/不+了"中，有时"了"表示"完"的意思。例如：

Sometimes "了" in the construction "V+得/不+了" indicates "end". For example:

① A：你点这么多菜，咱们俩吃得了(完)吗？

B：吃不了(完)可以打包带走啊！

② 现在手机越来越便宜了，一般的手机花不了(完)

三千块钱。

练习　Practice

用"V+得/不+了"完成句子：

Fill in the blanks with "V+得/不+了":

（1）我不喜欢吃四川菜，因为我＿＿＿＿＿、＿＿＿＿＿辣的菜。

（2）行李这么多，你一个人＿＿＿＿＿吗?

（3）A：你妈妈什么时候来北京看你?

　　　B：她最近身体不好，可能＿＿＿＿＿了。

（4）大卫的腿摔伤了，明天的比赛他＿＿＿＿＿了。

（5）A：这件事很重要，一定别忘了告诉山本。

　　　B：放心吧，我＿＿＿＿＿。

Comprehensive Exercises
综合练习

一 复述练习 Retelling

课文（一）

1. 根据课文内容填空：

Fill in the blanks according to the text:

　　麦克想请大卫去看功夫片《英雄》。大卫觉得自己的汉语水平不高，可能_____。麦克告诉他，这部电影有英文_____，听不懂没关系。

　　大卫的眼睛有点儿_____，如果座位太远，就_____。所以他们打算看下午的电影，因为白天看电影的人少，买得到前几_____的票。

　　大卫跟安妮约好六点半一起吃晚饭，他不知道六点以前回得来回不来。麦克让他_____，下午三点的电影，六点以前肯定_____。大卫建议骑车去电影院，因为他_____晚上堵车，六点以前_____。麦克同意了。

2. 根据提示复述课文：

Retell the text according to the given structures:

　　麦克想请大卫……。大卫觉得自己……，可能……。麦克告诉他，这部电影有……，……没关系。

　　大卫的眼睛……，如果……，就……。所以他们打算……，因为白天……，买得到……。

　　大卫跟安妮约好……，他不知道……。麦克让他……，下午三点……，六点以前肯定……。大卫建议……去……，因为他担心……，六点以前……。麦克……。

课文（二）

1. 根据课文内容填空：

Fill in the blanks according to the text:

　　雨下得很大，大卫今天_____足球了。山本原来_____去爬山，现在也_____了。他们觉得这个周末很_____，只能在宿舍里看电视。大卫喜欢中国_____，喜欢看功夫片。山本的_____里有许多光盘，大卫翻了翻，里面有不少功夫片。因为山本_____想研究电影，所以很_____购买、收集电影光盘。他觉得买光盘_____太多钱，比去电影院看电影_____钱多了，还能_____看。

2. 根据提示复述课文：

Retell the text according to the given structures:

　　雨……，大卫今天……。山本原来计划……，现在也……了。他们觉得这个周末……，只能在……看……。大卫喜欢……，喜欢看……。山本的抽屉里有……，大卫……，里面有……。因为山本将来想……，所以很注意……。他觉得买光盘……，比去电影院……，还能……。

二 会话练习 Conversations

1. 两人一组，补足图片内容，说故事。（要求：尽量用含可能补语的表达形式）

Work in pairs. Tell the story based on the pictures and make up the part about which the picture is missing. (Note: Please use probable complements as many as possible in your narration)

2. 三到四人一个小组，讨论以下话题。

Discuss the following topics in a group of three or four.

话题1：介绍一部你最喜欢的中国电影。

Topic 1: Introduce a Chinese film you like best.

（提示 Clue：什么时间看的，在哪儿看的，跟谁一起看的，内容是什么……）

话题2：介绍一个你最喜欢的电影明星。

Topic 2: Introduce a movie star you like best.

三　**听录音做练习** Listening and Speaking Drills

我又看了一遍

生词 New Words

超人归来		Chāorén Guīlái	Superman Returns
上演	（动）	shàngyǎn	to put on show; to put on stage
当天	（名）	dàngtiān	on the same day
本来	（形、副）	běnlái	original; originally
开头	（名）	kāitóu	start; beginning

听后回答问题：

Answer the questions after listening:

（1）电影《超人归来》是什么时候在中国上演的？

（2）电影票好买吗？

（3）他们看到电影的开头了吗？为什么？

（4）"我"忘了什么东西？对"我"来说重要吗？为什么？

（5）那个电影"我"听懂了多少？

（6）那天"我"为什么没有再买一张票，再看一遍电影？

（7）"我"买到那个电影的光盘了吗？这次"我"看懂了吗？为什么？

四 阅读短文做练习 Reading Exercises

生词 New Words

笑话	（名）	xiàohua	joke
电梯	（名）	diàntī	lift; elevator
突然	（形）	tūrán	sudden
睁	（动）	zhēng	open
永远	（副）	yǒngyuǎn	forever
傻	（形）	shǎ	foolish; stupid
胸	（名）	xiōng	chest; breast

我们可能进不了门了

　　我的朋友林月给我讲了一个笑话。

　　那天，几个朋友来看她，他们一起出去玩儿。回来的时候，发现电梯坏了。管理员修不好，只好打电话让电梯公司的人来修。朋友们等不了，就决定爬上去。林月住在25层，让朋友们爬楼，她很不好意思。她说："这么高，爬得上去吗？"朋友们说："爬得上去，咱们都是年轻人，大家边爬边聊，很快就能到。"

　　他们爬了一层又一层，边爬边说笑话，边爬边唱歌，非常开心。可是楼太高了，大家越爬越累。当她们爬到20层的时候，实在爬不动了，都坐在楼梯上休息。这时，林月突然说了一句："我给你们讲个最好玩儿的笑话，好不好?"大家都说好。林月就说："我们进不了门了，因为我忘记带钥匙了。"听了她的话，大家都睁大眼睛看着她，一句话都说不出来。

我听了这个笑话以后，哈哈大笑。林月说她自己永远忘不了那次做的傻事，从那以后，她总是把钥匙挂在胸前，再也不会忘带了。

读后判断正误(对的画√，错的画×):

Decide whether the following statements are true or false (√ for true and × for false):

(1) 这个笑话是真的。 （　　）

(2) 电梯在短时间里很难修好。 （　　）

(3) 林月住的楼层很高。 （　　）

(4) 林月的朋友很想爬楼。 （　　）

(5) 林月担心朋友们爬不上去。 （　　）

(6) 因为林月和她朋友们都很年轻，所以他们爬得上去。 （　　）

(7) 大家边爬边说笑话，没觉得特别累就到家门口了。 （　　）

(8) 林月的同屋不在家，所以他们进不了门了。 （　　）

(9) 林月以后不会再忘带钥匙了。 （　　）

23 我的车被撞坏了
My bicycle is crashed

　　　　　（一）我的车被撞坏了

看图思考　Look and think

- 大卫怎么了？
- 下雨天骑车，应该注意些什么？

安妮走着去教室上课，路上遇见大卫，他也走路去教室……
While Annie is walking to the classroom, she meets David on her way...

大卫 安妮，怎么不骑车啊？

安妮 别提了！我的车丢了，可能是被小偷偷走了。你呢？怎么也不骑车？

大卫 昨天我骑车上街，跟别人的车撞了一下，车被撞坏了。

安妮 你让车撞了？怎么回事？

大卫 我回来的时候下雨了，我怕被雨淋湿，骑得快了点儿，结果撞上了前边的车。

安妮 嗨！是你撞了别人，我以为你被别人撞了呢。

大卫 街上骑车的人太多了，要特别小心。

安妮 是啊，我只敢在校园里骑车，从来没有骑车上过街。

大卫 但是，骑车到处走走，能看到各种各样的人和事，对了解中国文化特别有帮助。

安妮 听说你经常骑车逛胡同？

大卫 是的，特别有意思，周末跟我一起去吧。

安妮 骑车逛胡同？我不敢，要是叫人撞一下怎么办？

生词 New Words

①	丢	（动）	diū	to lose
②	被	（介）	bèi	by (in passive construction)
③	小偷	（名）	xiǎotōu	thief
④	偷	（动）	tōu	to steal
⑤	上街		shàng jiē	to go downtown; to go shopping
	街	（名）	jiē	street
⑥	别人	（代）	biéren	other people, others
⑦	撞	（动）	zhuàng	to knock, to bump into, to run into
⑧	让	（介）	ràng	by (in passive construction)
⑨	回	（量）	huí	*used to indicate frequency of occurrence*
⑩	淋	（动）	lín	to pour, to drench, to spray
⑪	湿	（形）	shī	wet, damp, humid, moist
⑫	结果	（连）	jiéguǒ	as a result
⑬	到处	（名）	dàochù	all about, at all places, everywhere
⑭	各种各样		gè zhǒng gè yàng	various sorts and varieties, all sorts of
⑮	帮助	（动、名）	bāngzhù	to help, to assist; help, assistance
⑯	胡同	（名）	hútòng	lane, alley, bystreet
⑰	叫	（介）	jiào	by (in passive construction)

回答问题 Answer the questions

1. 安妮为什么不骑车？

2. 大卫为什么不骑车？

3. 大卫怎么跟别人撞车了？

4. 安妮敢骑车上街吗？为什么？

5. 大卫觉得骑车到处走走有什么好处？

6. 大卫邀请安妮周末一起去做什么？

7. 安妮同意跟大卫一起去吗？为什么？

语言点注释　Notes on Language Points

"被"字句

The 被-sentence

我的车昨天被小偷偷走了。

我让车撞了。

要是叫人撞一下怎么办？

我的气球被风吹走了。

讲解 Explanations

1. "被"字句是指由表示被动意义的介词"被"引进动作施事的一种句子，句子的主语是动作的受事。"被"字句主要用来表示一个受事者受到某种动作行为的影响而有所改变。其结构形式如下：

The 被-sentence is a sentence in which the preposition "被" is followed by the doer of the action and the subject of the sentence is the receiver of the action. The 被-sentence is mainly used to indicate that the patient has changed because of the impact of some actions. The construction is as follows:

S(receiver)		被	O(doer)		V + Other Elements	
我的钱包	没	被	小偷	偷	走。	
我		被	一辆自行车	撞	了。	
那个病人	已经	被	大家	送	进医院了。	
我的照相机		被	人	摔	坏了。	

 注意 Note

（1）"被"字句动词谓语后边一般要带"其他成分"，说明动作产生的结果或影响。例如：

In a 被-sentence, the verb is often followed by other elements to indicate the result or effect of the action. For example:

① 他被朋友叫出去了。
② 帽子被风刮走了。

（2）表示否定时，否定副词要放在"被"的前边。另外，时间名词、其他副词以及能愿动词等也要放在"被"的前边。例如：

To express the negative meaning, the negative adverb should be put before "被". In addition, the time noun, other adverbs and modal verbs should also be put before "被". For example:

① 我的衣服没被雨淋湿。
② 这本书早被翻译成汉语了。

（3）如果施事是不需要或不想说出的人，"被"字句的宾语可以用泛指的"人"来代替，表示"某人"的意思，有时也可以直接省略施事宾语。例如：

If it is unnecessary to expose the doer, the object of the 被-sentence can be replaced by a general term "人(people)". And sometimes the object denoting the doer can also be omitted. For example:

① 那本书可能被人借走了。
② 房间被人打扫干净了。是谁打扫的呢？
③ 我的衣服被淋湿了。
④ 他被撞伤了。

2. 口语中，"被"可以用"叫"、"让"等代替。例如：

In oral Chinese, "被" can be replaced by "叫", "让", etc. For example:

> ① 作业本叫我忘在宿舍了。
> ② 我的自行车让大卫借走了。

 注意 Note

当施事不需要说明时，"被"后面可以没有施事，直接放在动词前面，但是"叫"、"让"没有这种用法。比较：

When the doer does not need to be explained, "被" may be put before the verb without the doer. However, "叫" or "让" can not be used in this way. Please compare:

> 我的自行车被借走了。　　∨
> 我的自行车叫/让借走了。　×

 练习 Practice

1. 把下面的句子改成"被"字句：

Rewrite the following sentences into 被-sentences:

（1）雨淋湿了他的衣服。

（2）他没把妈妈的眼镜摔坏。

（3）风把墙上的画儿刮走了。

（4）孩子们吃完了桌子上的水果。

（5）他把椅子搬到楼上去了。

（6）他把车停在车棚里了。

2. 改病句：

Correct the sentences:

（1）受伤的人让送到医院了。

（2）刚买来的画儿把他贴在墙上了。

（3）那本书被人已经借走了。

（4）我的自行车被师傅没修好。

（5）啤酒没被他喝。

課文 **Texts**　　　　　　（二）胡同一年比一年少了

看图思考 **Look and think**

- 大卫和安妮骑车去哪儿了？
- 为什么要把胡同拆掉？
- 说说你知道的胡同？

安妮和大卫一边逛胡同，一边聊天儿……
Annie and David was chatting while they rambled the bystreet...

安妮 大卫，你为什么对胡同这么感兴趣？

大卫 我看过一个电视节目，介绍了一些发生在胡同里的故事，我特别喜欢。

安妮 所以你来北京以后就到处找胡同看。

大卫 这只是原因之一，还有一个更重要的原因，就是胡同一年比一年少了，有些胡同现在不看，也许将来就看不到了。

安妮 为什么胡同一年比一年少了？

大卫 因为北京发展得很快，许多胡同都被拆掉了，变成了马路和高楼。

安妮 我觉得，胡同太窄了，周围的房子也很旧，不太适合现代化的北京。

大卫 虽然现在马路一条比一条宽，楼一座比一座漂亮，但是很多北京人对胡同还是有很深的感情。

安妮 为什么？

大卫 因为很多人是在胡同里长大的，胡同代表了老北京的文化和生活。

生词 New Words

①	节目	(名)	jiémù	program
②	发生	(动)	fāshēng	to happen, to take place
③	故事	(名)	gùshi	story, tale
④	原因	(名)	yuányīn	cause, reason
⑤	之一		zhī yī	one of
⑥	也许	(副)	yěxǔ	perhaps, probably, maybe
⑦	发展	(动)	fāzhǎn	to develop
⑧	拆	(动)	chāi	to pull down, to demolish
⑨	窄	(形)	zhǎi	narrow
⑩	旧	(形)	jiù	old, used, worn
⑪	现代化	(动)	xiàndàihuà	to modernize
	现代	(形)	xiàndài	modern
⑫	宽	(形)	kuān	wide, broad
⑬	深	(形)	shēn	deep
⑭	感情	(名)	gǎnqíng	feeling, emotion, affection
⑮	代表	(动、名)	dàibiǎo	to represent, to stand for; representation
⑯	老	(形)	lǎo	old, aged; dated, antiquated

回答问题 **Answer the questions**

1. 大卫为什么对胡同感兴趣？

2. 大卫常常去逛胡同，更重要的原因是什么？

3. 为什么说胡同一年比一年少了？

4. 为什么安妮觉得胡同不太适合现代化的北京？

5. 现在的北京是一座什么样的城市？

6. 很多老北京人为什么对胡同有很深的感情？

语言点注释 **Notes on Language Points**

一+量词+比+一+量词+形
一+Measure Word+比+一+Measure Word+Adj
现在马路一条比一条宽，楼一座比一座高。
胡同一年比一年少。

这儿的衣服
一件比一件贵。

600元 700元 800元

讲解 **Explanations**

1. "一+量词+比+一+量词" 结构，在句子中作状语，表示程度差别的累进。例如：

The structure "一+Measure Word+比+一+Measure Word" acts as an adverbial and indicates the progressive development of the degree. For example:

① 我们班同学一个比一个努力。

② 这些照片一张比一张漂亮。

③ 他考试的成绩一次比一次好。

2. "一年比一年"、"一天比一天"作状语，表示事物变化的程度随着时间的推移而递增。例如：

"一年比一年" and "一天比一天" act as adverbials to indicate the progressive development of the degree of the thing as time goes by. For example:

> ① 来九寨沟旅游的人一年比一年多。
> ② 来中国以后我一天比一天胖，该减肥了。

练习　Practice

用"一+量词+比+一+量词+形"结构改写句子:

Rewrite the sentences with "一+Measure Word+比+一+Measure Word+Adj":

例如：For example：

　　这些照片照得都很好。

⟶ 这些照片照得<u>一张比一张</u>好。

（1）她的衣服都很漂亮。

（2）这些事情都很麻烦。

（3）楼下的自行车都很新。

（4）这些书都很好看。

（5）在中国，有汽车的人越来越多。

（6）我的汉语说得越来越流利。

（7）天气越来越热。

Comprehensive Exercises
综合练习

一 复述练习 Retelling

课文（一）

1. 根据课文内容填空：

Fill in the blanks according to the text:

安妮和大卫今天都没骑车。安妮的车_____了，可能是_____小偷_____走了。大卫昨天骑车_____，回来的时候下雨了，他怕被雨_____，骑得快了点儿，_____撞了前边的车，车被_____了。街上骑车的人很多，骑车要特别小心。

大卫喜欢骑车_____走走，因为这样可以看到_____的人和事，对了解中国文化特别有_____。周末大卫邀请安妮跟他一起骑车逛_____，可是安妮不敢，她怕_____人撞了。

2. 根据提示复述课文：

Retell the text according to the given structures:

安妮和大卫今天都……。安妮的车……，可能是被……。大卫昨天骑车……，回来的时候……了，他怕……，骑得……，结果……，车……了。街上……很多，骑车要……。

大卫喜欢骑车……，因为这样可以看到……，对……特别有帮助。周末大卫邀请安妮……，可是安妮……，她怕……。

课文（二）

1. 根据课文内容填空：

Fill in the blanks according to the text:

　　大卫以前看过一个_____，介绍了一些_____在胡同里的故事，他特别喜欢。来北京以后，他就到处找胡同看。他觉得胡同现在_____少了，有些胡同现在不看，_____将来就看不到了。因为北京_____得非常快，许多胡同都被_____掉，变成了马路和高楼。

　　安妮觉得，胡同太_____了，周围的房子也很_____，不太适合现代化的北京。

　　大卫告诉安妮，虽然现在马路一条比一条_____，楼一_____比一____漂亮，但是很多北京人对胡同还是有很_____的感情，因为胡同_____了老北京的文化和生活。

2. 根据提示复述课文：

Retell the text according to the given structures:

　　大卫以前看过……，介绍了一些……的故事，他……。来北京以后，他就……。他觉得胡同现在……了，有些胡同现在……，也许将来……。因为北京……，许多胡同都……，变成了……。

　　安妮觉得，胡同太……了，周围的房子也……，不太适合……。

　　大卫告诉安妮，虽然现在马路……比……，楼……比……，但是很多北京人对……有……，因为胡同代表了……和……。

二 会话练习 Conversations

1. 根据所给的材料，两人一组，进行对话：

Make dialogues in pairs according to the given information:

> A 先生：昨天去书店买书，回来的时候下雨了，他没带伞（sǎn umbrella），被雨淋湿了，回来后感冒，发烧了。
>
> B 先生：昨天骑车去逛胡同，胡同里的路很窄，拐弯（guǎi wān to turn; to turn a corner）的时候被对面来的自行车撞倒了，腿被撞伤了，自行车也被撞坏了。

会话场景：A 先生在学校医院看病时，遇到了 B 先生……

Dialogue situation: When Mr. A saw a doctor at the school hospital, he met Mr. B...

会话题目：别提了，最近真倒霉

Dialogue title: I have had such a bad luck recently

2. 讨论：

Discussion:

话题：有人觉得现代化的城市应该有宽宽的马路，高高的大楼，方便的交通；旧的建筑，老的胡同应该被拆掉。也有人觉得像胡同这样有历史、有文化的老建筑不应该都拆掉，应该保护起来。你对这个问题怎么看？

Topic: Some people consider that the modern city should have broad roads, tall buildings and convenient transportation, so the old buildings and bystreets should be dismantled. Other people think that the old buildings like the bystreets with a long history and culture should be protected rather than dismantled. What's your opinion on this?

（1）3–4 个人一组，谈谈对这个问题的看法。

Talk about this topic in a group of 3 or 4.

（2）每个小组请一位同学总结同学们的看法。

Choose a classmate in each group to summarize the opinions of the group.

三 听录音做练习 Listening and Speaking Drills

我最近真倒霉

生词 New Word

| 伞 | （名） | sǎn | umbrella |

1. 听后判断正误(对的画 √，错的画 ×):

Listen to the recording and decide whether the following statements are true or false (√ for true and × for false):

(1) 被小偷偷走的那个钱包大概一百多块钱一个。　　　　　　（　　）

(2) 她觉得修手机的钱太多，不打算修了。　　　　　　　　　（　　）

(3) 他们爬到山顶的时候，开始下雨了。　　　　　　　　　　（　　）

(4) 她的感冒现在已经好了。　　　　　　　　　　　　　　　（　　）

(5) 她骑车去超市的时候，是别人撞了他，不是他撞了别人。　（　　）

(6) 被撞坏的车不是她的，所以她觉得很不好意思。　　　　　（　　）

(7) 她知道下个月一定不会遇到这么多倒霉的事。　　　　　　（　　）

2. 表达练习:

Oral practice:

根据录音内容，说说"我"最近遇到的倒霉事。

Talk about the bad luck "I" have had recently according to the recording.

（提示 clue：钱包，手机，爬香山，去超市）

四 阅读短文做练习 Reading Exercises

生词 New Words

聪明	（形）	cōngming	clever; bright; intelligent
作家	（名）	zuòjiā	writer
郊外	（名）	jiāowài	suburb; outskirts
草地	（名）	cǎodì	grassland; meadow
一切	（代）	yíqiè	all
写作	（动）	xiězuò	to write
心情	（名）	xīnqíng	state of mind; mood; spirit
努力	（形）	nǔlì	to make effort; to exert oneself
技术	（名）	jìshù	technology, technique; skill

聪明的作家

因为需要一个安静的环境，作家在郊外买了一套房子住了下来。工作累了，就在房子前面的草地上散散步。刚开始的几个星期，一切都很好，安静的环境对作家的写作非常有帮助。但是有一天，草地上来了几个十多岁的男孩儿，在草地上踢足球，从下午一直踢到晚上。作家被吵得没有办法写作，心情很不好。所以作家决定想办法让孩子们换个地方踢球。

一天，孩子们踢完球，作家对孩子们说："你们踢得真好，我很喜欢看你们踢球。如果你们每天来这里踢球给我看，我每天给你们十块钱买可乐喝。"孩子们很高兴，第二天努力地为作家表演他们的足球技术。

过了几天，作家对孩子们说："真对不起，我的钱不多了，从明天起，我只能每天给你们五块钱了。"孩子们很不高兴，但还是同意了。但他们踢球的时候已经不像以前那么努力了。

又过了几天，作家对孩子们说："真是不好意思，我没有工作了，钱也快没了。在我找到工作以前，我只能每天给你们一块钱了。"

"一块钱！"孩子们差点儿跳了起来，"你再也别想看我们踢球了！"

孩子们生气地走了。从此，作家房前的草地又和以前一样安静了。

读后找出最合适的答案：

Find out the most appropriate answers after reading:

（1）作家为什么在郊外买房子住？ （　　　）

　　A. 在郊外可以常常散步

　　B. 郊外很安静

　　C. 郊外空气很好

（2）作家为什么不喜欢孩子们在那块草地上踢足球？ （　　　）

　　A. 他不能安静地写作

　　B. 他不能再在那块草地上散步了

　　C. 他担心草地被踩坏

（3）第二天孩子们为什么努力地为作家表演他们的足球技术？ （　　　）

　　A. 因为作家喜欢看他们踢足球

　　B. 因为他们的足球踢得非常好

　　C. 因为踢完球作家会给他们钱买可乐喝

（4）作家告诉孩子们只能给他们五块钱后，孩子们是怎么做的？ （　　　）

　　A. 他们不高兴，但是还是跟以前一样努力地为作家踢足球

　　B. 他们不高兴，所以踢足球时没有以前那么努力

　　C. 他们不高兴，所以踢足球时一点儿也不努力

（5）最后孩子们为什么不在那儿踢足球了？ （　　　）

　　A. 因为他们让作家不能安静地写作，他们觉得不好意思

　　B. 因为作家只给他们一块钱，他们觉得太少了

　　C. 因为他们踢足球的时间太长了

课文 Texts （一）除了山本以外，大家都去

看图思考 **Look and think**

● 同学们都去看什么表演了？山本去了没有？为什么？

● 说说你对京剧的了解。

张老师在和大卫、安妮聊天儿……
Ms. Zhang is chatting with David and Annie...

老师 大卫，明天的京剧演出，咱们班同学都去看吗？

大卫 除了山本以外，大家都去。

老师 山本怎么了？

大卫 山本得了重感冒，去不了了。

安妮 京剧是中国传统艺术的代表，山本不能去，太可惜了。

老师 看来你们对京剧都很感兴趣。

大卫 是的，我特别喜欢京剧脸谱。

安妮 我喜欢京剧服装，还穿着照过相呢。

老师 除了脸谱和服装以外，你们还了解多少京剧知识？

安妮　不好意思，除了服装，别的我都不了解。

大卫　我还爱看京剧里的武打表演，觉得非常精彩。

老师　除了这些以外，京剧的演唱也很有特点，你们可以欣赏一下。

大卫　可是，京剧我们听得懂吗？

老师　听不懂没关系，那儿有外语说明书。

生词　New Words

❶	演出	（名）	yǎnchū	show, performance, presentation
❷	除了……以外		chúle……yǐwài	besides, apart from, in addition to
❸	重	（形）	zhòng	deep, serious
❹	传统	（名、形）	chuántǒng	tradition, convention; traditional
❺	艺术	（名）	yìshù	art
❻	脸谱	（名）	liǎnpǔ	types of facial make-up in opera
❼	服装	（名）	fúzhuāng	dress, costume, garment
❽	知识	（名）	zhīshi	knowledge
❾	武打	（名）	wǔdǎ	kong fu fighting
❿	精彩	（形）	jīngcǎi	brilliant, splendid, wonderful
⓫	演唱	（动）	yǎnchàng	to sing (in a performance)
⓬	特点	（名）	tèdiǎn	characteristic, trait
⓭	欣赏	（动）	xīnshǎng	to enjoy; to appreciate
⓮	外语	（名）	wàiyǔ	foreign language
⓯	说明书	（名）	shuōmíngshū	(technical) manual, booklet of directions
	说明	（动）	shuōmíng	to explain, to illustrate

回答问题　Answer the questions

1. 大卫他们明天要去做什么？

2. 他们班同学都去吗？

3. 为什么山本不去？

4. 同学们对京剧感兴趣吗？

5. 大卫喜欢京剧的什么？

6. 安妮对京剧了解多少？

7. 京剧还有什么特点？

8. 他们能听懂京剧吗？听不懂怎么办？

语言点注释 Notes on Language Points

除了……以外，……
The structure "除了……以外,……"
除了山本以外，别的同学都去。
除了这些以外，京剧的演唱也很有特点。

我们班除了山本以外，别的同学都回国。

××大学

讲解 Explanations

"除了……以外，……"这个句型可以表示两种意思：

The structure "除了……以外,……" may denote two meanings:

1. "除了 A 以外，B 都……"，表示排除特殊，强调一般。用图可以表示为：

The structure "除了 A 以外,B 都……" is used to exclude the speciality and emphasize the commonness. It can be explained with the following diagram:

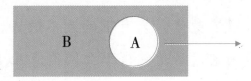

例如：For example:

① 除了安娜以外，我们班别的同学都去过长城。
② 除了星期六、星期日以外，别的时间我们都上课。

2. "除了 A 以外，还 B……" 和 "除了 A 以外，B 也……" 表示排除已知，补充其他。用图可以表示为：

The structures "除了 A 以外，还 B……" and "除了 A 以外，B 也……" exclude things that people already know and complement other things. It can be explained with the following diagram:

例如： For example:

> ① 除了生日蛋糕以外，我还买了一些水果。
> ② 除了上海以外，我还去过天津和广州。
> ③ 除了山本以外，安妮和大卫也去过长城。

注意 Note

口语中，"除了……以外，……" 这一结构，可以省略 "以外"。例如：

In oral Chinese, "以外" can be omitted in the structure "除了……以外，……". For example:

> ① 我们班除了他，别人都不会说日语。
> ② 桌子上除了书，还放着几个本子。

练习 Practice

1. 用 "除了……以外，……" 句型改写句子：

Rewrite the following sentences with "除了……以外，……":

（1）他差不多每天都锻炼身体，只有下雨天不锻炼。

（2）我对这套房子很满意，只是觉得卫生间有点儿小。

（3）我对北京的生活差不多都习惯了，只是不喜欢北京的天气。

（4）我们学校有中国学生和外国学生。

（5）我们班同学中只有玛丽还没去过长城。

（6）我喜欢吃中国菜，还喜欢吃日本菜。

2. 用"除了……以外，……"句型回答问题：

Answer the following questions with "除了……以外，……":

（1）你喜欢什么颜色？

（2）你喜欢什么运动？

（3）在北京你游览过哪些名胜古迹？　（你去哪些地方旅行过?）

（4）你去过哪些国家？

（5）你过生日的时候，朋友们送给你了哪些礼物？

（6）你喜欢吃哪些中国菜？

（7）你会说哪些种语言？

（8）我们班同学今天都来上课了吗？

（9）我们班有哪些国家的学生？

（10）你的桌子上放着什么东西？

课文　Texts　　　（二）你不是喜欢京剧脸谱吗

祝你一路平安！

看图思考　Look and think

- 从图片中你看到了什么？
- 什么时候我们对朋友说"祝你一路平安"？

小明去大卫的宿舍找大卫……

Xiaoming called at David's dormitory...

大卫　小明，是你啊，快请进！我在收拾行李，屋子里很乱，你随便坐。

小明　大卫，你不是说还要在北京再待一段时间吗？怎么这么早就收拾行李了？

大卫　家里有点儿急事，让我马上回国。我明天走，正要打电话向你告别呢。

小明　我也是来向你告别的。我今天晚上去上海。

大卫　你不是放假后要留在北京打工吗？

小明　我在上海的一家公司申请了一份工作，他们让我去面试。

大卫　祝贺你！

小明　大卫，你不是喜欢京剧脸谱吗？这些脸谱送给你。

大卫　太漂亮了，谢谢你！

小明　不客气！咱们下学期开学再见吧，祝你一路平安。

大卫　谢谢！也祝你面试顺利，代我向你妈妈问好。

生词　New Words

❶	乱	（形）	luàn	to be in disorder, in a mess, in confusion
❷	急	（形）	jí	urgent
❸	向	（介）	xiàng	to, towards
❹	告别	（动）	gàobié	to bid farewell to, to say goodbye to
❺	留	（动）	liú	to stay, to remain
❻	打工		dǎ gōng	to have a temporary job, to do manual work
❼	申请	（动）	shēnqǐng	to apply for, to make an official request
❽	份	（量）	fèn	*a measure word for job, newspapers, documents, etc.*
❾	祝贺	（动）	zhùhè	to congratulate
❿	开学		kāi xué	school opens, term begins
⓫	代	（动）	dài	to act on behalf of
⓬	问好		wèn hǎo	to send one's regards to, to say hello to

回答问题　Answer the questions

1. 小明来找大卫的时候，大卫在做什么？

2. 大卫原来打算什么时候回国？现在呢？

3. 小明找大卫有什么事？

4. 小明原来打算放假以后做什么？

5. 小明去上海做什么？

6. 小明送给大卫一件什么礼物？为什么送他这件礼物？

7. 他们什么时候再见面？

8. 他们相互告别的时候，说了些什么？

语言点注释　Notes on Language Points

不是……吗

The structure "不是……吗"

你**不是**说还要在北京再待一段时间**吗**？

你**不是**喜欢京剧脸谱**吗**？

我刚才怎么没找到呢？

这不是你的书吗？

麦克

讲解 Explanations

1. "不是……吗" 构成的反问句，用来强调某种明显的事实。例如：

The rhetorical question with "不是……吗" is used to emphasize some obvious fact. For example:

> ① 你不是喜欢看电影吗？晚上我们一起去吧。
> → 你喜欢看电影。
>
> ② 明天不是玛丽的生日吗？我们去给她买一张生日贺卡吧。
> → 明天是玛丽的生日。
>
> ③ 我们不是没买到今天的火车票吗？只能明天去了。
> → 我们没买到今天的火车票。

2. "不是……吗" 构成的反问句有时候带一点儿奇怪或者不太满意的语气。例如：

Sometimes, the rhetorical question with "不是……吗" has a tone of curiosity or dissatisfaction to some extent. For example:

> ① 你不是说下午很忙吗？怎么有空儿出来逛商场？
>
> ② 这件事，我不是已经告诉过你了吗？你怎么又忘了？

练习 Practice

用"不是……吗"结构反问下面的句子：

Make rhetorical questions with "不是……吗"：

（1）我在大卫那儿看见了玛丽的词典。

（2）我知道大卫去过两次九寨沟，我请他给我介绍一下九寨沟。

（3）山本告诉我他不爱吃饺子，可是吃饭时他点了饺子。

（4）马克是美国人，我请他教我英语。

（5）安妮告诉我她买了一辆自行车，可是今天我看见她走路来教室。

Comprehensive Exercises
综合练习

一 复述练习 Retelling

课文（一）

1. 根据课文内容填空：

Fill in the blanks according to the text:

　　大卫他们班明天要去看京剧_____。_____山本_____，大家都去。因为山本得了_____感冒，去不了。京剧是中国_____艺术的代表，山本不能去，安妮觉得很_____。

　　同学们对京剧都很感兴趣。大卫喜欢京剧_____，安妮喜欢京剧_____。大卫还爱看京剧里的_____表演，觉得非常_____。老师说除了这些以外，京剧的演唱也很有_____。可是同学们的汉语水平都不太高，大卫担心可能听不懂。老师告诉他，那儿有外语_____书，应该没问题。

2. 根据提示复述课文：

Retell the text according to the given structures:

　　大卫他们班明天要……。除了……以外，大家都……。因为山本……，去不了。京剧是……，山本……，安妮觉得……。

　　同学们对……感兴趣。大卫喜欢……，安妮喜欢……。大卫还爱看……，觉得……。老师说除了……以外，京剧的……也……。可是同学们……，大卫担心……。老师告诉他，那儿有……，应该……。

课文（二）

1. 根据课文内容填空：

Fill in the blanks according to the text:

小明来大卫宿舍找大卫，他正在收拾行李，屋子里很＿＿＿＿＿。大卫原来打算在北京再待＿＿＿＿＿时间，现在他家里有点儿＿＿＿＿＿，父母让他马上回国。

小明在上海的一家公司＿＿＿＿＿了一份工作，公司让他去上海面试，这个假期不能留在北京＿＿＿＿＿了。今天他来向大卫＿＿＿＿＿，他送给大卫一些京剧脸谱，大卫很高兴。他们约好下学期＿＿＿＿＿的时候再见面。

2. 根据提示复述课文：

Retell the text according to the given structures:

小明来……找……，他正在……，屋子里……。大卫原来打算在北京再……，现在他家里……，父母让他……。

小明在……申请了……，公司让他……，这个假期不能……了。今天他来……，他送给大卫……，大卫很……。他们约好……再见面。

二 会话练习 Conversations

1. 两人一组，进行对话：

Make dialogues in pairs:

话题：我来向你告别

Topic: I come to bid farewells to you

原因：Reasons:

（1）回国继续完成大学的课程

I will return to my country to complete my college education

（2）找到了一份工作

I have found a job

（3）妈妈病了，休学回国照顾妈妈

I have to suspend my schooling to return to my country to take care of my sick mother

2. 自由表达：

Free expression:

话题：半年的收获

Topic: What I have learned in the past half year

（提示 clue：半年来，我学到了很多……）

三 听录音做练习 Listening and Speaking Drills

祝你一路平安

生词 New Words

迷	（动）	mí	to be fascinated by; to be engrossed in
唱腔	（名）	chàngqiāng	melodies in a Chinese opera
好不容易		hǎo bù róngyì	to manage with great difficulty
趟	（量）	tàng	*a measure word used for a trip, etc, or a vehicle that makes a trip*
恢复	（动）	huīfù	to recover; to renew

听后判断正误（对的画 √，错的画 ×）：

Listen to the recording and decide whether the following statements are true or false (√ for true and × for false):

（1）安娜最近迷上了京剧，请了一个老师教她武打动作。 （   ）

（2）安娜除了京剧脸谱和服装以外，别的京剧知识她都不了解。 （   ）

（3）大卫的中国朋友帮他买了一张京剧演出的票。 （   ）

（4）这次演出的票很容易就能买到。 （   ）

（5）大卫家有急事，他必须回国。 （   ）

（6）大卫把票给了安娜，安娜很感谢大卫。 （   ）

（7）安娜希望大卫妈妈的病早一点儿好。 （   ）

四 阅读短文做练习　Reading Exercises

生词 New Words

经济	（名）	jīngjì	economy
认为	（动）	rènwéi	to think, to consider, to feel
因此	（连）	yīncǐ	so, therefore, consequently
情况	（名）	qíngkuàng	situation, condition, state of affairs
地	（助）	de	(subor. part. adverbial) -ly
吸引	（动）	xīyǐn	to attract, to draw, to fascinate
产生	（动）	chǎnshēng	to give rise to, to bring about
五彩	（名）	wǔcǎi	multicolored
骄傲	（形）	jiāo'ào	proud
遗憾	（形）	yíhàn	pitiful
保护	（动、名）	bǎohù	to protect; protection

生活在中国

路路是一个学经济的大学生。他认为，中国经济发展得很快，十年之后在国际上会有很大的影响。因此，他决定来中国学习一段时间。除了了解中国经济发展情况以外，还可以学习汉语，了解中国文化。

现在路路已经在北京学了半年汉语了。"来中国之前，我对中国文化一点儿也不了解。"路路这么说。可是，现在他已经深深地被中国的历史和文化吸引住了。

看过一次京剧演出后，路路对京剧产生了兴趣。他非常喜欢五彩的脸谱、漂亮的京剧服装和精彩的武打表演，现在还在跟老师学唱京剧。他骄傲地说："我比许多中国的年轻人都了解京剧。"因为他听说现在很多中国的年轻人对京剧这种传统艺术不太感兴趣。

路路还喜欢骑车逛胡同，看四合院。从车来车往的大街走进窄窄的、安静的胡同，他好像走进了历史，回到了几十年前的北京。遗憾的是，很多胡同和四合院都被拆掉了，变成了大街和高楼。他是学经济的，知道中国经济发展到今天，一定会有这样的结果，但是，他还是希望这些中国文化的代表能得到很好的保护。

读后回答问题:

Answer the questions after reading:

（1）路路是学什么的?

（2）路路为什么要来中国学习汉语?

（3）路路为什么会对京剧产生兴趣?

（4）路路为什么认为自己比许多中国的年轻人都了解京剧?

（5）路路为什么喜欢骑车逛胡同?

（6）对拆掉胡同修大街，路路有什么看法?

生词索引
Vocabulary

棵	（量）	kē	21
可爱	（形）	kě'ài	19
可惜	（形）	kěxī	17
渴	（形）	kě	19
肯定	（副）	kěndìng	17
空	（形）	kōng	21
恐怕	（副）	kǒngpà	17
块	（量）	kuài	19
宽	（形）	kuān	23
困难	（形）	kùnnan	18

L

垃圾	（名）	lājī	19
垃圾桶	（名）	lājītǒng	19
拉拉队	（名）	lālāduì	17
来不及	（动）	láibují	22
懒	（形）	lǎn	18
劳驾	（动）	láojià	22
老	（形）	lǎo	18,23
厉害	（形）	lìhai	14
荔枝	（名）	lìzhī	14
脸谱	（名）	liǎnpǔ	24
了	（动）	liǎo	22
淋	（动）	lín	23
留	（动）	liú	24
路过	（动）	lùguò	21
乱	（形）	luàn	24

M

马上	（副）	mǎshàng	13
满	（形）	mǎn	21
芒果	（名）	mángguǒ	14

毛病	（名）	máobing	18
帽子	（名）	màozi	16
没想到		méi xiǎngdào	20
迷	（尾）	mí	20
苗条	（形）	miáotiao	18
明白	（动）	míngbai	18

N

拿	（动）	ná	13
拿手	（形）	náshǒu	14
年级	（名）	niánjí	20
年轻	（形）	niánqīng	21

P

爬	（动）	pá	19
怕	（动）	pà	18
拍照		pāi zhào	20
排	（名）	pái	22
佩服	（动）	pèifu	17
皮	（名）	pí	19
篇	（量）	piān	13
频道	（名）	píndào	14
瓶	（名、量）	píng	14
葡萄	（名）	pútao	14
葡萄酒	（名）	pútaojiǔ	14
普通	（形）	pǔtōng	15

Q

| 气氛 | （名） | qìfēn | 21 |
| 气球 | （名） | qìqiú | 21 |

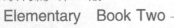

成功之路
Road To Success

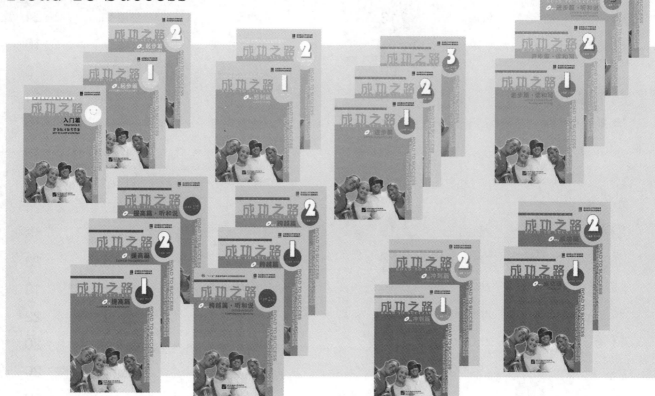

初 级

○ 入门篇
ISBN 978-7-5619-2161-6
定价：32.00
（附1CD+听力文本）

○ 起步篇1
ISBN 978-7-5619-2162-3
定价：48.00
（附1CD+听力文本+练习活页）

○ 起步篇2
ISBN 978-7-5619-2182-1
定价：58.00
（附1CD+听力文本+练习活页）

○ 顺利篇1
ISBN 978-7-5619-2178-4
定价：68.00
（附1MP3+听力文本及练习答案+练习活页）

○ 顺利篇2
ISBN 978-7-5619-2190-6
定价：68.00
（附1MP3+听力文本及练习答案+练习活页）

○ 进步篇1
ISBN 978-7-5619-2175-3
定价：52.00
（附1CD+听力文本及参考答案）

○ 进步篇2
ISBN 978-7-5619-2209-5
定价：52.00
（附1CD+听力文本及参考答案）

○ 进步篇3
ISBN 978-7-5619-2386-3
定价：52.00
（附1MP3+听力文本及参考答案）

○ 进步篇 听和说1
ISBN 978-7-5619-2176-0
定价：76.00
（附1MP3+听力文本）

○ 进步篇 听和说2
ISBN 978-7-5619-2208-8
定价：68.00
（附1MP3+听力文本）

○ 进步篇 读和写1
ISBN 978-7-5619-2172-2
定价：52.00
（附练习答案）

○ 进步篇 读和写2
ISBN 978-7-5619-2189-0
定价：52.00
（附练习答案）

中 级

○ 提高篇1
ISBN 978-7-5619-2174-6
定价：45.00
（附1CD+练习答案）

○ 提高篇2
ISBN 978-7-5619-2207-1
定价：45.00
（附1CD+练习答案）

○ 提高篇 听和说
ISBN 978-7-5619-3573-6
定价：58.00
（附1MP3+听力文本及练习参考答案）

○ 跨越篇1
ISBN 978-7-5619-2173-9
定价：45.00
（附1CD+练习答案）

○ 跨越篇2
ISBN 978-7-5619-2206-4
定价：48.00
（附1MP3+练习答案）

○ 跨越篇 听和说
ISBN 978-7-5619-3761-7
定价：62.00
（附1MP3+听力文本及练习参考答案）

高 级

○ 冲刺篇1
ISBN 978-7-5619-2170-8
定价：58.00
（附1CD+练习答案）

○ 冲刺篇2
ISBN 978-7-5619-2248-4
定价：58.00
（附1CD+练习答案）

○ 成功篇1
ISBN 978-7-5619-2177-7
定价：65.00
（附1MP3+练习答案）

○ 成功篇2
ISBN 978-7-5619-2253-8
定价：65.00
（附1MP3+练习答案）

欢迎访问北京语言大学出版社网站（WWW.BLCUP.COM），我们以在对外汉语教学市场上的品牌优势为依托，以专业的技术研发和维护为保障，致力于为读者提供全面准确的产品资讯和方便快捷的网上订购服务：

◇ 已发布2000余种语言教学类产品，产品信息不断更新；提供快速检索和产品预览功能。

◇ 支持国际信用卡在线支付和DHL全球快递等多种支付和配送渠道，为用户在线订购图书及音像制品提供极大便利。

◇ 与北语社教材配套的教学资源，如教案、课件、试题、听力资源等也正在网站上不断丰富，为使用北语社产品的教师、学生和经销商提供有力的支持和增值服务。

◇ 已建立快速响应客户服务机制，网站的客服电子信箱、访客留言、产品评论及回复等功能构成了出版社与用户交流互动的平台。

北京语言大学出版社网站

WWW.BLCUP.COM

Your Best Choice to Learn Chinese！

◇ More than 2,000 CSL (Chinese as a Second Language) and other foreign language titles are available on BLCUP website.

◇ Blcup.com offers various payment methods. It's easy and safe to make payment online via a VISA or MASTER card.

◇ With DHL Express Courier and other delivery options, blcup.com can ship to virtually any address in the world.

◇ We appreciate customers' feedback and provide quick response service. If you have a comment, query or support request, please leave a message on *Contact us* page of BLCUP website.